見上げれば青い空

福島県の北の端・新地町 小さな旅館の女将の東日本大震災体験記

村上美保子
Murakami Mihoko

E-PIX
イー・ピックス

見上げれば青い空

目次

第一章　一千個のぼた餅

第二章　ニューヨーク娘

第三章　最後の親孝行

第一章

一千個のぼた餅

避難所で（前書き）

「情けねぇどなぁ……。　他人から施しを受けねぇど生ぎでいがれねぇんだがら……。
情けねぇ話だ…」

そうポツンとつぶやいたのは、年をとった漁師だった。東日本大震災の津波ですべてを流され、この避難所で暮らし始めて二週間になる。何もかも他人からもらったもので暮らしている。着ているもの、履いているもの、食べているもの……。すべてがもらい物だ。自分で買ったものは何一つない。

「施しではなくて支援だよ。日本中の人が『頑張れ！』って送ってくれたんだから。だから頑張っペ！（頑張ろう！）」

と言っても彼は下を向いたまま首を横に振る。

「朝日館のかあちゃん。おめぇは支援なんて言うども（けれど）、それは施しだべ。くれた人みんなに『ありがとう』『ありがとう』って毎日頭を下げて暮らしてんだ。まさか、この年になって乞食（こじき）みでぇな（みたいな）暮らしすると思わながったなぁ……」となおも嘆く。彼の忸怩（じくじ）たる思いと同じものが私の胸の奥にもある。

他人様を世話することがあっても、世話を掛けてはいけないと教えられて生きてきた。だが今は誰かの世話にならないと一日も暮らすことができない。なんということだろう。心に痛みが走る。さらにさっきの出来事がその痛みを強くする。

「はぁい。順番に並んでください。好きなものを取ってください」

という声につられてロビーに行ったら、机の上にカラフルな靴下がいっぱい並んでいた。

「そこの被災者の方！　こちらに並んでください。そこの避災者の方！　こちらに！」

最初は、被災者と呼ばれたのが私だと思わなかった。被災者？　そうか…　私は被災者なのか……。そう呼ばれてはじめて気が付いた。みんな新地町（しんちまち）の人だと思っていた。だが他所から来た人にとっては、ここにいる全員が被災者なのだ。津波で流されて何もないのだから、そう呼ばれても不思議ではない。だが、はっきりと被災者と名指しされた時のショックは大きかった。

「そうか……。被災者なんだ……」

納得するまで何度もつぶやいてみる。

ロビーでみんなが一列に並んで靴下を選んでいる。私は、友人からもらった靴下があったので列から外れた。靴下は必要な人がもらえばいい。必要でない私が取ったら、欲しい人の分が足りなくなる。自分の席に戻った私のところに友人が走って来た。

「美保ちゃん。靴下をもらったほうが良いよ」

「私はもらった靴下があるからそれで充分」

「いらなくても一足ぐらいはもらいいな。ほら、あそこの三人組が『見ろ！　見ろ！　朝日館は金があるから靴下もらわない。なんぼ（いくら）金があるんだか』と陰口を言っていたよ。こういう場所では、みんなと同じ行動しないと目立つから。いらなくてももらいいな」

とこっそりと耳打ちしてくれた。それからは何かをもらうようにした。乞食は必要だからもらう。必要でないものまでもらう私は乞食以下だと思えて、自分が侘しかった。だからと言って、陰口を言われることに耐える勇気も元気もない。

我が家は鉄骨の建物だったので無残な姿だったが残った。放射能は気になったが毎日、自分の家に通った。何か残っていないか血眼になって探した。建物の中も周りも、壊れた家の残骸や家電や布団などが散らばっている。泥をかぶったそれらは「瓦礫」と呼ばれた。

瓦礫って呼ばないでよ！

「これは、私たちがここで幸せな毎日を送っていた時使っていたものです！　たとえ泥だらけでも、たとえ壊れていても大切な思い出の品なの！」

心の中で叫びながら泥の中を捜し廻った。泣きながら必死に泥から掘り出す。お気に入りの皿のかけらがあった。娘のピアノははるか離れた田んぼの中に仰向けに倒れていた。客送迎用のバスもずいぶん遠くでペシャンコにつぶれていた。何かを見つけるたびに自分が泥だらけになるのも構わず駆け寄り、そして泣いた。

旅館の建物が残ったことも辛かった。あたりの家屋がすべて流された中に、我が家がポツンと残った。骨組みだけで元の姿が想像できないほどひどい状態だった。だが、残ったことが心を苦しめた。

「……残ってしまった……、ごめんなさい……」

家を流された人に申し訳なくて、どんどん気持ちが落ち込む。心が萎れていくのを感じた。元気印の私がこんなことで鬱になるなんて、自分のことが信じられない。

「あんたらしくもない。こんなことで落ち込んでどうするの！　頑張れ！」

自らを叱咤激励して過ごした。そんなある日、近所の人の一言が私を救った。

「朝日館が残ってよかった。朝日館がなかったら自分の家が何処か、わからねぇがった（わからなかった）。朝日館から数えて何軒目。残った土台を数えて、やっと自分の家の場所がわかった。ありがとう」

そうか、あんな状態でも残って良かったのだ。誰かの役に立った。その言葉は一滴の水のように浸みて、干からびた心を潤しやっと元気が出た。

人の気持ちは不思議だ。元気な時、幸せな時、平穏な時、そんな時には想像もしなかった感情が突然襲ってきて自分を苦しめる。どん底の時は、こんな精神状態になるものなのだと初めて知った。なぜそんな気持ちになったのか、今でも不思議に思う。人間とは、なんと厄介な生き物なのだろう。

避難所ではいろいろな体験をした。誰でもきれい事だけでは生きていけない。悲しいことも、腹が立つことも、苦しいことも、もちろん嬉しいことも、楽しいこともあった。人をうらやむこともある。時には憎んだりすることもある。何か起きるたびに気持ちが右に左にとグラリ　グラリと揺らぐ。自分で自分をなだめ、鼓舞(こぶ)してなんとか平穏を保った。あの避難所での日々を、思い出などという美しい言葉で一括りにはできない。

十年が過ぎた。気が付くとあれほど嫌っていた「瓦礫」や「被災者」という表現にも慣れて、違和感なく使っている自分がいる。十年という時間は重くて長い。

年月が過ぎるにつれ、どんどん薄れていく私の記憶。今のうちに残っているものを両手でそっと掬(すく)い上げたい。そしてもう一度、自分の人生として抱き締めてみようと思う。

［令和三年九月八日］

最強妻（さいきょうさい）

避難するか？　避難しないか？　あの日の選択は、私たち夫婦にとって人生で一番大きな決断だった。逃げると決めたから命が助かった。避難したから今がある。

経験したことがないほど大きな地震だった。昭和五十三年の宮城県沖地震も大きかった。あの時は、震度五。だが今回はその比ではない。震度六はあろうか。恐怖のあまり裸足で外に飛び出し、そばの電柱にしがみついた。

「馬鹿！　危ねぇから電柱から離れろ！　トランス（変圧器）が落ちてくるぞ！」

夫が調理室の戸を開けて叫んでいる。しがみついた電柱の上で、トランスが激しく左右に揺れている。あわてて駐車場の真ん中にしゃがみ込んだ。家の中からすさまじい音がする。食器が落ちて割れる音だ。我が家の食器庫には、代々の女将が集めた食器が収まっている。

一種類が百人分ずつある。それが何十種類もあるのだ
「あ……あぁ。買い替えるのにいくらかかるかなぁ。大きな宴会の予約が入っているのはいつだったっけ？　あ……あぁ、物入りだ……」

地震は怖かったが、それよりもその後に出ていくお金の方がもっと怖かった。頭の中でソロバンをはじきながら揺れが収まるのを待った。一番先に飛び込んだのは調理室。食器が落ちて部屋中に破片が散乱し、さらに醤油や油のビンが倒れて割れ、床が悲惨な状態だった。

「調理室を片付けるのに、二週間、営業を休むからな！」

仕事嫌いな夫が、大威張りで宣言する。

「何を言ってるの！　営業しながら片付けるわよ！　休まないから！」

言い返すと同時に、さっきよりももっと大きな揺れが来た。

「中庭に出ろ！」

夫が叫びながら台所から飛び出してゆく。だが、揺れが強くて歩くことさえできない。この時はじめて「死ぬかもしれない」という恐怖が湧いた。とにもかくにも、這うようにして中庭に出た。桜や松の木が左右に音を立てて揺れている。近所の屋根瓦が落ちて砕ける

音がする。地震はなかなか止まない。このまま揺れが止まらないのではないかと、生きた心地がしなかった。この時の震度は六強だった。

ずいぶん長く揺れ、地震はやっと収まった。廊下には亀裂が入り、玄関ホールのシャンデリアは床に落ちて粉々に飛び散っている。調理室は、食器棚が空になるほど食器が落ちて、床は破片の山で歩くことができない。茶の間も、大きなサイドボードが倒れ、机もパソコンも倒れて室内には入れない。

時々余震が襲ってくる。ふと見ると本館と新館の廊下のつなぎ目から、ブクブクと黒い泥の泡が噴出しているのを発見した。どぶ臭い泡が吹き上がってくる。液状化だ！　初めて見るその現象に足が震えた。その瞬間、「津波」という言葉がはっきりと私の頭に浮かんだ。まるで誰かが耳元で教えているかのように、明確に頭に浮かんだのだ。

「津波が来る！　津波が来るよ！　逃げよう！」

頭の中の言葉を伝えると、夫は、鼻先でせせら笑った。

「津波なんか来ねぇよ！　新地に津波が来たなんて聞いたことねぇ（ない）。親からも、爺さん婆さんからも、聞いたことねぇ（ない）。あのなぁ、新地は津波の来ない良い町なんだぞ。逃げるなら、お前一人で逃げろ。朝日館を代表して避難しろ。俺は調理室を片付けて、今夜の客の夕食の用意をしているから」

と言い張る。

「朝日館を代表して」と夫が言うのには理由がある。ちょうど一年前の二月二十八日にチリで発生したマグニチュード八・八の巨大地震。太平洋沿岸に大津波警報が出たのだ。その日、昼には法事の、夜には宴会の予約が入っていた。津波の到達予報は夜だったので、宴会の客に延期のお願いをした。ところが

「宮城県には大津波警報が出ているが、福島県はただの津波警報だから大丈夫だべ。予定通り行ぐがら」

と強引に客が来てしまった。新地町は、宮城県と福島県の境の町だ。海に境界線はない。県の違いなどなんの安心材料にもならない。

避難指示が出たので近所の人たち全員が避難した。ゴーストタウンのようになっている中、我が家だけが煌々と電気をつけて、カラオケを大音量にして宴会をしていた。そのせいで、

避難解除になり帰宅した近所の人たちから大顰蹙(ひんしゅく)を買ったのだ。夫はその時のことを思い出し、私だけでも避難所に行けば、今度は顰蹙を買うこともないと思ったのだろう。

だが、私の頭からは「津波が来る」という思いが消えない。私は小学校卒業するまで、津波に時々襲われる岩手県三陸海岸の近くで過ごした。私が通っていた岩泉小学校は、海岸から二十キロも内陸部にあるが、それでも徹底して防災教育を受けた。

「いいか。大きな地震の時は津波が来る。その時は、できるだけ高い場所に、できるだけ遠くに逃げるんだぞ」

と、どの学年でも教えられた。海浜学校や遠足で浜に行くと

「ほら、あそこの崖に松の木があるべ(あるだろう)。あの木に裸の女の人が、ながぁい髪を絡ませて引っかかって死んでいたんだ」

などと聞かされ、その夜は怖くて眠れなかった。小学生だった私には、崖の松の木はとても高かった。津波はずいぶん高い所まで襲ってくるのだなぁと、恐怖と一緒に記憶した。

あの時、それを思い出したわけではない。だが私の記憶の片隅に、小学生の時に教えてもらったことが微かに残っていたのかもしれない。防災教育を受けて育った私と、津波は

来ない町だと教えられて育った夫。この時、大きく判断が分かれた。

絶対に津波が来ると確信した私は

「わかった！　じゃあ、私一人で避難する。だけど、道路に亀裂が入っていて怖いから、避難しなくてもいいから運転だけはして！」

と避難を渋る夫を連れ出すことに成功した。夫はぶつぶつ文句を言いながらも運転したのだ。そのおかげで二人の命が助かった。もし夫を残して一人だけ避難していたら、私は未亡人になっていた。そして夫を強引に連れ出さなかったことを、一生後悔し続けたことだろう。

夫婦喧嘩をするたびに、必ず私が言う言葉がある。

「あらぁ、あの時、あなたを強引に車に乗せたのは誰だっけ？　私がいなかったらあなたは死んでいたのよ。命の恩人にそんなことを言ってもいいの？」

あの日以来、強妻は最強妻に進化したのである。

［令和三年十月十三日］

非常持ち出し

ハンドバックに手を伸ばす。もう少し……。もうちょっと……。いろいろな物が邪魔をして手が届かない。テレビが倒れ、机が倒れ、さらにサイドボードも倒れている。さっきの大地震で家の中はめちゃくちゃだ。ガラスの破片が散乱しているのでスリッパから靴に履き替え、土足で座敷を歩き廻っている。構うものか。あまりの惨状に半ばやけっぱちだ。裏板を踏み抜かないように気を付けてサイドボードを乗り越え、やっとハンドバックを手に取った。

なにしろバックの中の財布には、今日の売り上げが全額入っているのだ。客からもらったお金を金庫ではなく、自分の財布に入れた。その日、支払の予定などなかったのに。かといって虫の知らせがあったわけでもない。それなのに、どういうわけか自分の財布にすべてを入れた。財布に大金が入っている。置いてはいけない。必死になって手を伸ばしてバックを掴んだ。地震による大津波警報が出ている最中の出来事である。

夫は避難をする準備が終わったらしい。車の中で騒いでいる。そうだ！　菜穂子（なほこ）を置いては行けない。連れて行かなくちゃ。

「行くぞ！　早く乗れ！」

「ちょっと待ってぇ！」

仏間に行ってみると仏壇はうつぶせに倒れていた。起こそうとしたが昔の大きな仏壇で、しかも紫檀で出来ているので、重くて私一人の力ではびくともしない。ふと足元を見ると、地震で落ちてきたいろいろな物の傍らに、娘の位牌がコロンと転がっていた。夫の両親と祖父母と曽祖父母の位牌も転がっている。

「みんな、一緒に行こうね」

とまるで遠足にでも行くような気分で話しかけ、四つの位牌を抱いて車に乗った。

「何を持って来たのや？（何を持ってきたのだ？）」

夫が聞くので位牌を見せた。

「なんだ、そんなものを持って逃げるのか?」

「そういうあんたは何を持って来たの?」

「俺かぁ? 俺はこれ。予約帳と通帳!」

夫は自慢気に宿泊予約帳と、通帳とカードが入っているバックを見せた。

「へぇ! あんたはお金が一番大事なんだ。私は菜穂が大事。おじいちゃんとおばあちゃんも連れてきたよ」

まだこの時は、二人とものんきだった。お互いに持ち出したものを見て笑いあう余裕があった。とりあえず避難はするが、すぐに解除になって家に帰って来られるはず。停電後の通電でショートして火事になったら大変と、夫はご丁寧にブレーカーを下げてから避難した。

まさか一時間もしないうちに我が家のすべてが流されるとは思っていない。だがその時、防災無線からは
「大津波警報〜〜〜。海岸付近にいる方は〜〜〜至急高台に避難してください〜〜〜」

という放送が繰り返し流れていた。気持ちの悪い声でゆっくりした口調の放送だった。

それでもまだ、本当に津波が来るとは思っていない。自分たちが被災するなどとは想像もしていない。危機管理が甘いと言われればその通りだ。自分だけは大丈夫だと、何の根拠もない安心感の中で行動していたのだ。

深い考えもなく咄嗟に持ち出した物は、後に大いに役に立った。予約帳には宿泊者の連絡先が記載してある。ちょうど火力発電所の定期点検で七名の作業員が一週間も連泊していて翌日に帰る予定だった。一日早く帰っていれば被災しなかったのにと思う。

もし、その人たちが、荷物を取りに戻ってきても我が家には誰もいない。そのことを知らせたかった。会社の電話番号に携帯から電話したが繋がらない。緊急の時は公衆電話が通じやすいと聞いたことを思い出し、コンビニに急いだ。店先の公衆電話から会社に電話した。なかなか繋がらなかったが、何度かめにやっと通じた。

「大きな地震があって大津波警報が出ています。私たちは農村環境改善センターという役場の隣の建物に避難しています。社員の皆さんに山の方に逃げるように連絡してください。警報が解除されたら戻りますと伝えてください」

と伝言した。だがこの日の予約客と息子の携帯には、公衆電話からでさえ繋がらなかった。

宿泊していた客は、会社からの連絡で山に逃げて全員が助かった。翌朝、避難所になった町役場の三階に訪ねてきた。これから帰るが今までの宿泊代を支払うという。宿泊代はいらないと言うと
「女将さん、お世話になりました。頑張ってください」

と涙を流し、車が見えなくなるまで手を振って帰っていった。

財布に現金があったことも助かった。金融機関が正常営業するまで自由にお金が使えた。ガソリンや衣服を買うことができた。そして位牌。位牌の七名は事あるたびに
「頑張れ！」

と励ましてくれた。海辺にあったお墓は、遺骨ごとすべて流された。娘の遺品もない。遺品どころか写真さえ一枚も残らなかった。そんな状況の中、位牌だけでも手元に残ったのは、天の采配と感謝している。

震災の前、玄関そばの倉庫に非常持ち出し袋を用意していた。懐中電灯や軍手、ロープや医薬品など。いざという時に役立つものをいっぱい入れた。だがとっさの時には、用意

していたことさえ思い出さなかった。非常の時に持ち出さなければ、非常持ち出し袋は何の役にも立たない。

「東日本大震災の時に一番役に立ったものは何でしたか？」

と聞かれたら、私は、一番大事なものは「命」。一番役に立ったものは「友人」と答える。自分のことを思ってくれる人がいる。気遣ってくれる人がいる。そのことでどんなにか慰められ、励まされ、救われたかしれない。命があって、手を差し伸べ励ましてくれる友人がいれば、後は何とかなる。

いざという時の心構え。まず真っ先に非常持ち出しするもの。それは自分の命だ。

［令和三年十月二十七日］

運、不運

新地町には津波が来ないと言い通す夫。確かに昭和三十五年のチリ地震津波の時も被害がなかった。海の底が見えるほど潮が引き、逃げ遅れた魚を手づかみで取ったという。それほどまでに潮が引いたのに、津波は沿岸近くの家の床下までしか来ず、被害がなかった。

「新地はなぁ、津波が来ない良い町なんだぞ」

と夫は自慢げに言って避難を渋った。

現実には、東日本大震災で新地町では面積の五分の一が被災し、百十六人もの人が亡くなった。その多くが夫と同じ考えだったのでは、と想像する。避難しろという息子からの電話に
「寒いから避難所には行かないで、二階のこたつに入っているから。津波が来ても大丈夫」

と返事をした知人は、一週間後に遺体で見つかった。彼女の息子は、もっと強く避難を勧

めていればと、ずっと後悔している。十年の間ずっと。そしてこれからも後悔し続けるだろう。

避難しないと言う夫に

「避難しなくてもいいから運転だけして」

と私は食い下がり、夫はブツブツと文句を言いながら運転席に座った。まだ大きな余震が来ている。向かいの家の軒下で、ご主人が落ちた瓦の片付けをしていた。余震のたびに瓦が落ちてきているのに。

「軒下は瓦が落ちてきて危ないよ。それよりも津波が来るよ！　逃げなさい！　車あるの？なかったら乗って！」

と言っているうちに彼の息子が迎えに来た。角のお店でもお客さんと奥さんが呆然と立っている。

「津波が来るよ！　逃げたほうが良いよ！」

床屋の店先でも、首から布を下げた客と鋏を持った奥さんがいる。

「津波だよ！　津波が来るよ！　逃げなさい！」

と声をかけた。寒い日だったが車の窓を開けて、道端に立っている人に大声で避難を呼びかけながら車を走らせた。

避難するかしないか迷っている時に声をかけられたので

「朝日館が逃げたぞ。津波が来るかもしれない。逃げっか（逃げようか）」

と慌てて避難して助かったと、後になってから聞いてほっとした。

後日、テレビ番組で解説していた。迷っている時、誰かが「避難する」というと、多くの人がつられて避難するらしい。反対に「大丈夫だ」と誰かが言うと、安心して避難しなくなるという。だから誰でもいいから率先して避難してほしいという番組内容だった。あの時、車の窓を開けて、呼びかけながら避難所を目指したのは正解だった。私のお節介もたまには役に立つことがあるのだ。

我が家から指定避難所の農村環境改善センターに行く途中に、常磐線の踏切がある。右に顔を向ければすぐに新地駅が見える。地震発生時、踏切は遮断機が下りて警報機が点滅

グニャリと曲りゴロンと横たわる列車

していた。新地駅に列車が停車しているのが見えた。ヘッドライトが点いて、今にも発車してきそうな雰囲気だ。踏切の前に車を止めて列車が通り過ぎるのを待った。だが列車は待っても、待っても動き出さない。駅に停車したままなのだ。

ふと見ると誰かが遮断機につかえ棒をしていた。車がやっと一台通れるぐらい遮断機が上がっている。ということは、ここを通った車がある証拠。私たちの後ろには、避難してきたらしい車が五、六台も続いて止まっている。

「後ろに車が並んでいるから左右を確認して、踏切突破して！」

夫は恐る恐る踏切を渡って避難所を目指した。

この時、新地駅に停車していた列車は、後に大きな話題になった。乗客の中に警察学校を卒業したばかりの若い警察官が二人乗り合わせていた。彼らは列車の車掌と相談して、乗客の避難誘導をした。駅から指定避難所の改善センターまでは約一キロ。乗客を一列に並ばせてそこを目指した。おかげで乗客から一人の被害者も出なかった。

乗客は避難したが、列車には運転手と車掌の二人が残っていた。この後、列車は津波に襲われる。二人はどうなったのだろう？　亡くなったのか？

いや、二人とも無事だった。

ＪＲ東日本には「乗務員は、許可なく列車から離れてはいけない」という規則がある。二人は許可をもらおうと必死に連絡を試みた。だが列車の無線も携帯電話も繋がらなかった。そのうち津波が襲ってきた。慌てて列車から飛び出し、跨線橋の階段を駆け上がる。駅舎は跡形もなく流された。列車も随分離れた場所にくの字になって横たわっていた。

列車の後方に跨線橋が残った

だが、跨線橋は流されずに済んだ。跨線橋にしがみついていた彼らは、ずぶ濡れにはなったが命が助かった。この後、乗客が避難したら乗務員も避難してもよいと規則が変わったという。

若い警察官の機転と誘導で乗客が助かり、さらに跨線橋に駆け込んだ運転手と車掌も助かった。この列車からは一人の死亡者も出なかった。本当に良かったと思う。

階段部分が曲がった跨線橋と、グニャリと変形してゴロンと横たわる列車の映像は、たびたびテレビで放映される。それを見るたびに

「誰も死なないで良かった」

と胸をなでおろした。

私たちが無事に突破した踏切。津波が押し寄せた時、偶然そこに停車していて流され、亡くなった人もいる。後日、踏切の横の川に車が何台も転落しているのを見た。横倒しになったダンプカーもあった。踏切の警報機に惑わされて停車していた車だろうか。もう少し遅くここを通ったら、私たちも同じ運命だったと背筋が寒くなる。

この話をすると、みんなが

「運が良かったね」

という。私たちは運が良くて、亡くなった人たちは運が悪かったというのか？　本当にそうだろうか？

ちょっとしたことで生死が分かれた。あちら側とこちら側に分けられた。分けたものはいったい何だろう？　未だにその疑問の出口にたどり着いていない。それが何なのか、その答えを知りたくて今も探し続けている。

［令和三年十一月十日］

おむすび

大津波警報が出てから四十分ぐらい経っていただろうか。指定避難所になっている農村環境改善センターに急いだ。車中で息子の携帯に電話をしたが繋がらなかった。

「いっそこのまま会社まで行って、正嗣（まさつぐ）に『改善センターにいるから』と伝えてこようよ」

と、車は改善センターを通り過ぎて、息子の会社に向かった。息子の会社は隣町にある。車で二十分ぐらいの距離だ。国道は、あちこちがひび割れ、段差が出来ていた。陥没している場所もある。電柱の何本かは斜めに傾いて電線が切れて垂れ下がっている。車は通常のスピードでは走れず、すべてノロノロ運転だった。夫もノロノロ運転だ。運転中に余震が来ると、まるでゴム毬のように道路の上で車が弾む。そのたびに恐怖で思わず叫び声があがる。県境でコンビニの看板を見つけた。

「コンビニに寄って！」

私には買いたいものがあった。

外はまだ夕方の明るさだったが、コンビニの店内は停電していて真っ暗だ。余震が、それもかなり大きな余震が時々襲う。そのたびに店内から商品が落ちる音が聞こえてくる。若い女性の店員が二人、駐車場で抱き合って震えていた。

どうしてもほしいものがある。おむすびがほしい。宿泊客がいる。予約客もある。だが、あの調理室の惨状では、夕食の準備は無理だ。客にはおむすびで我慢してもらおうと思ったのだ。食事はおむすびにして、安全な部屋に泊めて、宿泊代金をもらわなければいいと考えた。

震えている店員の所まで走っていき、売ってほしいというと即座に断られた。

「停電でレジが使えないし、おむすびは床に落ちているから売れません」

「私が勝手に拾って買います。それなら構わないでしょ」

「いえ……。売れません……」

「お願いです。売ってください。お願いします」

と、店員が止めるのも聞かず店の入り口に向かった。

自動ドアは停電していて開かない。我が家も自動ドアだったので、停電の時は手動で開けられることを知っていた。コンビニのドアを力任せにこじ開ける。どうしてもおむすびがほしい。その気持ちだけで、買い物カゴをつかんで真っ暗な店内に飛び込んだ。

おむすびはすべて棚の下に落ちて床に転がっていた。暗がりの中、一個ずつ拾ってカゴに入れる。時々大きな余震が来てそのたびに、背中や頭にいろいろな物が落ちてくる。後ろの方で何かのビンが落ちて、派手な音を立てる。だが恐怖感はない。

「お客様に食べさせるおむすびを買わなきゃ！」

という女将スイッチが入っていた。余震が襲ってくる真っ暗闇の店内で、必死になっておむすびを全部拾ってカゴに入れた。カゴはおむすびでいっぱいになった。

外に出て支払いをしようとしたら、レジが使えないからと同じ言葉が返ってきた。私にはおむすびを一個ずつ計算する能力も時間もなかった。

「わかった！　じゃあ、一個二百円で買います。そしたら計算も簡単だから。はい！お金！　そうか……、お釣りもないのか……。じゃぁ良い。お釣りもいらない！」

店員に太っ腹なところを見せて、コンビニの駐車場から出た。

車で少し走ると息子の会社の坂元工場がある。工場の入口が陥没しているのを何人かの社員が見に来ていた。駆け寄って聞いた。

「本社はどうなったの?」

「電話が繋がらないからよくわがんねぇ(わからない)」

「息子が心配だから本社まで行ってこようかと思って」

「朝日館。あぶねぇがら(危ないから)ここから帰れ! 帰れ!」

そこにいた全員が口をそろえて言う。そうか、危ないのか。まだ時々大きな余震が襲ってくる。みんなの言うことを素直に聞いて帰ることにしよう。そこから車は引き返した。

指定避難所の改善センターが津波で床下浸水したので、その日の夜は町役場の三階が急遽避難所に変更になっていた。大勢の人が避難している。夜中に非常食が二人に一個ずつ配られる。缶に入った乾パンだった。硬くてお年寄りや小さな子どもは食べるのが大変そうだ。乾パンを食べると口の中の水分をすべて吸い取られる。中に氷砂糖が何個か入っていた。乾パンを食べる時は、まず氷砂糖をなめて唾を出してから、乾パンを食べるのだという。そんなことも知らなかった。乾パンをもらったおかげで一つ利口になった。

その時おむすびを買ったのを思い出す。すぐに夫が車から持って来た。

「みなさん！　おむすびがあります。一個ずつ配りますから、中身の好き嫌いを言わないで、もらったおむすびを黙って食べてくださいね」

と言って、お年寄りにも小さな子どもにも一個ずつ配って歩いた。もし足りなくなったらうちの家族は食べなくてもいい。隣は普段から仲良くしている一家だ。さらに足りなくなったら、この人たちなら半分ずつ食べてとお願いができる。足りなくなったらその時はその時。そう思ったから袋の中のおむすびの数を確かめずに一人に一個ずつ配ったのだ。

不思議なことが起きた！

その部屋にいる人の人数を数えて買ってきたかのように、おむすびと人間の数がぴったり同じだった。一個の不足もなく、一個も余らず、ぴったり同じ数だった。みんなに配り終えた袋の中には、うちの家族の分のおむすび三個が残っている。

事実は小説より奇なりという。こんなことがあるだろうか！　奇跡！　奇跡だ！　三個のおむすびが入った袋を見た時、背筋がざわりとして、それから胸に熱いものがこみ上げた。

地震の時、津波が来ると思った。その言葉は、まるで啓示のように鮮明に頭の中におりてきた。そして打ち消しても、打ち消しても、消えなかった。おかげで避難を渋る夫を無理やり連れ出すことができた。コンビニでおむすびを全部買い占めた。その後、言われるままに坂元工場から引き返した。後で知ったのだが、コンビニは一階の天井まで津波に襲われた。国道を走っていた多くの車が流され、道のわきに横転していた。コンビニから帰るのがもう少し遅かったら、私たちもどうなっていたかわからない。坂元工場からすぐに引き返したから助かった。買ったおむすびは、その部屋に避難している人と同じ数だった。ぴったり同じ数だった。こんなにも偶然が続いたことに驚く。

いや、偶然ではない。偶然でも奇跡でもない。誰かに守られていた。そうだ！　守ってくれた人がいた。そう思うと有り難くて震える。それは、娘かもしれない。あるいは、両親やご先祖様か。それとも神様とか仏様と呼ばれる大きな存在だろうか。良くわからない。わからないが、確かにいた。守ってくれた人がいたのだ。

あの夜のおむすびは、誰かが守ってくれているという安堵感と、きっと立ち直ることができるという希望を運んできた。だから、頑張ると決めた。

［令和三年十一月二十四日］

探してけろ（探してください）

東日本大震災のあの日。大地震の後、コンビニでおむすびを買い占めて指定避難所の農村環境改善センターの駐車場まで戻った。地震発生から一時間ぐらい過ぎていて、すでに夕方になっていた。駐車場に到着したその時、カーラジオからアナウンサーの悲鳴のような声が聞こえた。

「岩手県沿岸で六メートルの津波が観測されました！　海岸付近にいる方は、すぐに海岸から離れて高台に避難してください！」

へぇ、岩手に津波が来ているのか。六メートルとはずいぶん大きな津波だ。その時はまだ、のんきにそう思った。

「ねぇ、岩手で津波だって。ここじゃなく商工会の駐車場に行こうよ」

「ここで良い！　ここは海から二キロも離れているんだ。どんなに大きな津波が来たって、常磐線の線路を超えてくることなんてねぇ（ない）」

「でも昔から津波の時は、海から少しでも遠く、少しでも高くっていうんだよ。高い所に車を止めよう。商工会の駐車場のほうがここよりもずっと高いよ」

「はい、はい、はい！　では奥様の言うとおりにいたします！　まったく、お前は言い出したら後に引かないからなぁ」

夫はあきれ顔で、しぶしぶ向かいの高台にある商工会の駐車場まで車を走らせた。

「津波だぁ！　津波だぁ！」

「見てくる！」

誰かが叫んでいる声が聞こえる。駐車してから五分も経っていない。

夫を車に残し、商工会からさらに高い場所にある消防署まで坂道を駆け登った。海の方を見たが、家並に邪魔され海が見えない。だが屋根の向こうに白煙が上がっているのが見えた。

「津波じゃなくて火事じゃないの？」

最初はそう思った。海が見える場所まで移動した。そこから見えたのは、大きくて真っ黒な山並みのようなものが、ものすごいスピードでこちらに向かって押し寄せてくる光景だった。

「なに？　あれはなに？」

真っ黒なものは、家に覆いかぶさると白煙を上げて家を潰した。潰された家は、まるでおもちゃのように、あっという間にバラバラになって流れてくる。火事かと思った白煙は、黒いものが家を襲った時の水煙だった。あちこちで大きな水煙を上げながら、黒いものがやってくる。黒いものの上は一直線に白く、キラキラと光を発しながらうごめいている。それが猛スピードでこちらに押し寄せてくる。

目の前で繰り広げられている光景は、現実なのか、夢なのか、私の脳はすぐに判断できない。黒いものは津波で、光る白い線が波頭だと理解するのに時間がかかった。初めて見る光景は現実感がなく、したがって最初のうちは恐怖心も沸かなかった。

「逃げろ！」

周りの人たちが逃げたので、つられて逃げた。車に戻ろうと坂を下る。足がもつれて転びそうだ。その時、坂の下の道路を瓦礫が猛スピードで流されていくのが見えた。

「これは夢ではない。現実……」

そう思った途端に腰が抜けた。誰かが揺すっているかのように、膝がガクガクと激しく震える。両手で膝を抱え込んでも、その震えは止まらない。車まで逃げなきゃと思うのだが、足に力が入らない。立てないのだ。

「腰が抜けるってこういうことを言うのね」

妙に納得しながら、坂の途中で腰を抜かして震えていた。

「何をしているんだ！　津波が来ているんだぞ！　ほら！　立て！　しっかりしろ！」

帰ってこない私を心配して夫が探しに来た。抱えられてやっと車に戻った。

眼下の改善センターに津波が押し寄せて来たのが見える。津波は膝ぐらいの深さなのに、ガシャガシャと大きな音で、何台もの車をひとまとめにして押し流す。車はぶつかりながら駐車場から道路へと流されていく。あの深さでも車が簡単に流されるのか。津波の威力に驚愕する。もしあそこに止めていたら、この車も流されただろう。商工会の駐車場に止めたので流されずに済んだ。

「早く風呂を沸かせ！　ぬるい風呂だぞ。熱いとショック死するからなぁ。ぬるい風呂に入れてけろ（ください）」

四、五人の人に抱えられて誰かが運ばれてきた。顔は真っ青だ。意識はあるのだろうか？良く顔を見たら近所のU君だった。歩道の柵に引っかかっているところを発見されたのだという。どうやら意識もあり大丈夫そうだというのでほっとした。U君は、商工会の隣の老人憩いの家のお風呂に運ばれていった。

次に彼を見たのはその夜だった。改善センターが床下浸水したので、避難所が町役場の三階に変更になった。大勢の人が押し寄せていた。安否確認をする人。情報を知りたい人。役場の中はごった返している。

階段を下りてきたら一階から怒鳴るような大声が聞こえてきた。こんな非常時に大騒ぎしている人は誰だろうと見たら、U君だった。

「頼むから探してけろ（ください）！　あのあたりで手が離れたんだ。まだ、女房と近所の娘のHがあそこにいるから、早く行って探してけろ！」

U君の顔も手も、歌舞伎の切られ与三のように傷だらけだ。彼は泣きながら役場の窓口で懇願していた。

「わかった！　わかった！　もう外は暗いから、探しに行けば二次災害になるかもしれねぇ。明日、明るくなったら探しに行くから」

「明日では遅いべ！　早く行ってけろ！　すぐ行って探してけろ！」

三人は車で避難したという。常磐線の踏切で車が並んだ。前には大型ダンプ。後ろにも大型ダンプ。挟まれて前進も後退もできなかった。津波が見えたのであわてて車を捨てて逃げる。三人で手をつないで逃げたが、すぐに津波に追いつかれた。それでも、手をつないでいたからだろうか、三人とも水から顔を出すことができた。

「よかったなぁ。助かった」

と手を離した瞬間に、次の津波が襲ってきた。手をつなぐ暇もなかった。彼は助けられ、Hちゃんは二週間後に見つかった。奥さんはずいぶん後で見つかった。

亡くなった人は、さぞ辛かっただろう。だが、生き残った者も同じぐらい辛い。東日本大震災はまだ終わっていない。十年以上経った今もPTSDに苦しむ人が大勢いる。自分だけ助かったという罪悪感を抱えた人もいる。あの時にこうしていればと後悔している人もいる。津波は、生き残った者たちに大きな哀しみと心の傷を残した。これから先もずっと、その傷を抱えて生きて行かなければならない人のことを思う。なんと過酷な人生だろう。

私は娘が死んだ時、助けてほしいとあれほどお願いしたのにと、神様や仏様を恨んだ。神も仏もあるものかと怒りと絶望の中で暮らした。娘が癌だとわかった瞬間から私の周りの色彩が飛んだ。灰色の世界とは本当のことだった。誰かと話をしていても、テレビを見ても笑う事が出来なかった。食べ物を口に入れると咀嚼はできるが、ごっくんと飲み込むことが出来ない。何度も何度も頑張って必死になって飲み込んだ。味も感じない。体重はあっという間に十キロも落ちた。導眠剤と精神安定剤が手放せなくなる。そのうち悲しみはやがて恨みになり、娘と同じぐらいの若者を見ると

「あんな子が生きているのに、なぜうちの娘が死ななければならなかったのだろう」

と身勝手な屁理屈で、見ず知らずの人を嫉妬した。憎悪した。あの頃の私は夜叉か鬼婆だった。

ふさぎ込んでいる私を夫はドライブに誘ってくれたけれど、景色など目に入らない。自分だって辛かったと思うのに、いつも楽し気に話しかけてくる。だが、その笑顔が私の神

経を逆なでする。
「なぜこの人は笑顔になれるのか。いったいどういう神経をしているのだろう」とふくれっ面で助手席に座っていた。友人たちは、強引に海外旅行に連れ出してくれた。妹たちは頻繁に訪ねてきて、何も言わずに掃除をしたり、皿洗いをしたりして帰って行く。周りの人たちの優しさに支えられて少しずつ元気になる。数年すると夫の気持ちに気が付き、感謝できるようになった。世の中が美しい色彩であふれているのにも目が行くようになった。少しずつ感動や感謝する気持ちが戻ってきた。

そんな中でも、悲しみから抜け出すのに一番力になったのは、舅だった。この頃から少しずつ痴呆になった彼は、やがて寝たきりになり私は仕事と介護に追われる。両方をこなすことで余計なことを考える暇がなくなった。明るい呆け老人に変身した舅。彼との頓珍漢でかみ合わない会話は、私に笑うことを思い出させた。それを日々記録して、後に『楽しい介護日記　まさいっつぁん』と言う本を出版した。自宅での介護はもちろん大変なことも多い。だがその大変さで悲しみを感じる余裕がなくなり、三年も過ぎたころからは安定剤や導眠剤と縁が切れていた。大変な日々の中から楽しいことを見つけて日記に残した。

それがどん底まで沈みかけていた私が、浮かび上がるために掴んだ一本の藁だった。結婚報告やかわいい赤ちゃんを見せに来てくれる娘の友人たちにも、ずいぶんと気持ちを穏やかにしてもらった。あの頃は、必死になってすがるものを探して足掻（あが）いていた。浮き上がりたいと、手に触るものは何でも必死になって掴んだ。やがて鏡を見ると夜叉や鬼婆の顔はいつの間にか消えて、元の私に戻っていた。

このタイミングでこんな嬉しいことが起きるのはなぜだろうと、最初は不思議に思った。そしてそんな不思議なことが続いたある日、ふっと思い当たった。神も仏もないとすべてを恨んで暮らしていたけれど、本当は神様も仏様も、もちろん娘も、私の側にいた。どんな時もそっと寄り添ってくれていたのだ。ずいぶん長い時間がかかったが、そう確信できるまでは辛い日々だった。

いつか、それでも神様や仏様に守られていると気が付く日が必ずくる。だから、その日まで辛くても歯を食いしばり、頑張って生きてほしいと願っている。

［令和三年十二月八日］

定年退職

平成二十三年三月十一日。その日の午後に巨人津波が東北の太平洋沿岸を襲った。経験したことがないような大地震が起き、その一時間ぐらい後のことだ。沿岸部が真っ黒い波に飲み込まれるのに時間はかからない。押し寄せてきた津波は、たちまち住んでいた町を海底に引きずり込んだ。我が家は三階の天井まで津波が来た。

指定避難所になっていた新地町農村環境改善センターも床下浸水した。海から二キロも離れた場所に建っているのに。想定以上の巨大な津波は、なかなか水が引かなかった。見渡す限り一面が黒い海水に覆われている。家屋の残骸や無数の塵芥を浮かべたまま、どこまでが海でどこからが陸地なのか区別さえつかない。時折、その黒いものが膨れ上がって押し寄せ、まだ、まだ、津波の余波が続いていることを知る。

かろうじて避難できた私は、高台に止めた車の中で必死に息子に連絡をした。携帯は繋がらない。まさか私たちを心配して帰宅したのではないだろうなぁ……。我が家に向かう息子の車を黒い波が飲み込んでゆく映像が、振り払っても、振り払っても頭から消えない。リダイヤル……、リダイヤル……、リダイヤル……。リダイヤルボタンを続けざまに押す。何度かけ直しても携帯が繋がらないのだ。涙が出そうになるのを堪えて何度も押し続けた。繋がらない。繋がらない。焦りと不安で心が一杯になる。リダイヤル……、リダイヤル……。

トントン。車の窓をたたく人がいた。町の職員だった。

「朝日館さん。改善センターが床下浸水して使えないので、役場の三階が避難所になりました。三階に来てください」

返事はしたが、それよりも息子と連絡が取れないことのほうが気になる。そのまま車中で電話をし続けた。右手の親指の付け根が痛い。見ると赤くなって腫れている。左手に持ち替えてなおも電話をし続けた。

「ごめんな。こんな時なのに携帯を家に置いてきた。今頃、俺の携帯は海の中だべなぁ」と夫がつぶやく。あてにならない人をかまっている暇はない。左手に持ち替えてリダイヤルをする。繋がらない……。寒い……。気が付くとあたりはもうすっかり暗くなり、雪もちらついてきた。エンジンを切った車内はどんどん冷えてくる。

「役場に行くか……」

という夫の言葉に促されて、役場の三階に向かった。

役場はごった返していた。多くの人が押し寄せ、まさに喧騒(けんそう)の坩堝(るつぼ)だった。人、人、人。みんな殺気立っている。三階も廊下まで人があふれていた。どこかに座れるスペースはないか探して、やっと一番奥の小さな部屋のわずかなスペースを見つけて座った。

座ってからも頭の中は息子のことでいっぱいだ。リダイヤル……、リダイヤル……。何十回、いや何百回リダイヤルボタンを押したことだろう。奇跡的に電話が繋がったのだ。

「正嗣(まさつぐ)！　正嗣！　大丈夫なの？　お父さんとお母さんは無事だからね」

だが返事がない。

「正嗣！　正嗣！　大丈夫なの？」

心臓が止まりそうだ。焦る気持ちが先に立つ。泣きそうになりながら息子の名前を大声で呼び続けた。しばらくして携帯から嗚咽が聞こえてきた。

「……うぅうぅ……うぅうぅ……お母さん……無事だったの……」

受話器の向こうで三十六歳の息子が泣いていた。

息子は海岸線を避けて山道をぐるりと回って帰ってきたらしい。我が家に通じる道にはバリケードが組まれていた。警備の人に沿岸部は全滅と聞かされたという。中学校と小学校が避難所だというので急いで行ってみた。知っている人を見つけては両親の安否を聞いて歩く。だが、聞く人、聞く人みんなの答えが

「そういえば、てっちゃん（夫）の顔を見てないなぁ」

だった。彼は思った。父はたぶん避難しないだろう。父が避難しなければ、母もしない。そして観念した。姉も亡くなっている。両親がいなくなって、とうとう天涯孤独になってしまった。そう落胆したところにかかってきた私の電話だった。息子はすぐに飛んできた。顔を見た瞬間、思わず三人で抱き合って泣いた。大の大人が人目もかまわず大声を上げて泣いた。嬉しいという言葉の何十倍も嬉しかった。今までの人生で一番嬉しい出来事だった。

夜になって非常備蓄の毛布が配られた。大勢の人が避難してきたので毛布が足りない。

「いいよ。いいよ。私たちは毛布がなくても」

と言ったが、残ったからと最後に二枚もらえた。三人で二枚の毛布にくるまった。行方不明者も多く、みんなが不安なこの時期に不謹慎だが、ほっとした気持ちだった。家族を探し回っている人がいるのに大変に申し訳ないのだが、この気持ちを言葉にするなら一番近い言葉は「幸せ」だったかもしれない。家族三人が無事だった。これ以上何を望むことがあるのだろうか。毛布にくるまりながら

「これから朝日館をどうしようか？」

と私が切り出した。すると、突然、夫が毛布をはねのけ正座をする。

「皆さん、長い間、大変お世話になりました。私は今日で定年退職とさせていただきます」

とペコリと頭を下げた。夫はかねがね、同級生たちが退職するのを羨ましがっていた。自営業の自分には定年がない。仕事嫌いの夫は、ずっと定年退職に憧れていたのだ。

「正嗣は？」

「僕は、今の仕事が楽しいからサラリーマンをやめるつもりはないよ。お母さんは？」

「私は、女将が大好きだけど定年退職の人と、跡を継がない人がいるのでは、もう旅館は無理。では、本日をもって朝日館を閉めることにしましょう。明日から村上家の第二章

が始まります。三人で力を合わせて頑張ろう」

突然、夫が拳を差し出したので、慌てて息子と私も拳をくっつけた。あたりに遠慮しながら、ささやくような声で
「おぉ！」

とファイトポーズをして家族会議を〆た。

こうしてこの夜、明治の初めから百三十年以上続いた旅館の歴史に幕を下ろした。憧れの定年退職を果たした人は、避難所内でただ一人、その場所にはふさわしくない満面の笑顔だった。


私の家族は、被災したばかりでまだみんなが茫然としている時期に、いち早く顔を上げ一歩を踏み出せた。それが出来たのは菜穂子のおかげだ。娘を亡くしたことに比べたら、旅館や自宅をなくすことなどたいしたことではない。娘を亡くした時、世界が一変した。楽しい、嬉しいという喜びを感じることが出来なくなった。心には悲しみしかなかった。涙が枯れるという言葉があるけれど、いくら泣いても涙はまた流れ、ついぞ枯れることが

なかった。何を見ても何を感じても、すぐに娘を思い出して泣いた。それでも月日は、徐々に、穏やかに悲しみを隠してくれて、なんとか立ち直るまでになった途端の被災だった。

愛する家族の死という苦しさ、悲しさを乗り越えてきた私たちだ。これぐらいのことは屁の河童だ。家族三人の命が助かった。それ以上何を望むことがあろうか。家族の命の前では、他のすべてが些細なこと。夫も息子も何も言わなかったが、同じ考えだったと思う。

私は、周りの人に恵まれた人生を送ってきた。幸せな人生だった。ただ一つ、大きな不幸は、娘の死だ。それまでずっと「あの事さえなければ」と思って暮らしてきた。だが、震災で「あの事があったおかげで」に変わった。家族を亡くした人の心情が理解できたから。そして、そっと寄り添うことができた。一緒に泣くことができた。あの時期を乗り越えたからこそ、経験は自信になっているはず。だから大丈夫、私たちは震災も乗り越えられると確信した。菜穂子の死は家族三人を強くした。

人生には何一つ無駄な経験はないという。いつか、この大変な震災も人生の糧になる日が来るかもしれない。

あの日からもうすぐ十一年になる。定年退職をした人は、あれからずっと、気ままで暢気な人生を満喫している。

［令和三年十二月二十二日］

赤色灯

東日本大震災が起きたその日、町役場の三階に避難した。一番奥の小さな部屋に何とか家族三人で座れる場所を確保した。ひっきりなしに余震が起きる。そのたびに
「おぉ！」

と、どよめきが上がり、逃げ出そうとみんなの腰が浮く。長い一日が終わろうとしている。疲れているはずなのに、頭の芯が冴えて眠れない。

「○○はいねぇがぁ（いないか）？　誰か見ねぇがったがぁ（見なかったか）？」

家族を探す人が絶え間なくやって来る。みんな、必死の形相で家族を探し回っている。不安な時ほど、家族の顔を見たいと誰でも思う。なりふり構わず、家族の名前を呼びながら探し回っているその必死さが痛ましい。余震も続き、とても眠ることなどできない。おまけに一晩中、ヘリコプターが爆音を上げて北に向かって飛んでいく。その数の多さと音

がさらに不安を煽る。

避難所になった町役場は、自家発電装置があるので建物の中は明るい。だが断水でトイレは使えず、外の仮設トイレだった。トイレに行こうと一階まで下りた。廊下も階段も疲れた顔をした人が無言で座っている。駐車場には工事の時に使う仮設トイレが五つ並んでいた。

用を済ませて海のほうを見た。停電しているので漆黒の闇が広がっている。すでに日付は変わり、前日の雪はいつの間にか止んでいた。空を見上げると、今まで見たことがないほど多くの星が瞬いている。満天の星というのはこういうことなのだと、ちょっと感動して空を見た。天の川まではっきりと見える。なぜか涙があふれる。これほど美しい星空を今まで見たことがない。地上の有様と星空の美しい輝きの差をどう表現すればいいのだろう。

……切ない……切ない……。視線を下に戻すと海と陸の区別がつかないまま、すべてが闇に沈んでいる。何もない。何も見えない。ここに町があるはずなのに、風景も、生きてきた証も、引きちぎられるように消されてしまっていた。広がっているのは闇だ。もう何もないのだ。何も。寒さと切なさに体が震える。

その時、真夜中の国道を赤い光の列がやって来るのが見えた。

「あれはなんだろう？　消防車？　救急車？」

隊列は静かに私の方に向かってやってくる。次々と私が立っている駐車場に入ってきた。

それは自衛隊の車列だった。大きなトラックやジープがクルクルと赤色灯を回しながら、
隊列を組んでやってきた。十台ぐらいは並んでいるだろうか。

「自衛隊が来てくれた！　助けに来てくれた！」

大きな安堵が湧く。津波が押し寄せてからまだ半日しか経っていない。きっと途中の道
は瓦礫だらけで通るのも大変だったことだろう。有り難くてこみ上げてくるものがある。

止まった車両から次々と隊員が下りてきた。一人の隊員がぽつんと立って見ている私に気
が付き、駆け寄ってくる。

「大丈夫でしたか？　大変でしたね。でも、もう大丈夫ですよ。安心してください」

大丈夫という言葉で今までの緊張が一度に解けた。

「ありがとうございます……ありがとうございます……」

「大丈夫ですよ」

そう繰り返すとその人は敬礼をして、整列を始めた隊に戻っていった。

その日から自衛隊の活躍が続いた。行方不明者の捜索、遺体の収容、瓦礫の撤去、道路の修復。毎日の食事だけでなく、真っ白な木綿の下着も提供してくれた。何の飾りもない、昭和の香りがするデザインの下着だったが、着替えも何もない時期だったのでとても有り難かった。

整列する自衛隊

後日、夫が入院した時、知ったことがある。夜中になると若い自衛隊員が病院に運ばれてくるのだ。過酷な任務で体調を崩す人が多いという。さらに深刻なのは精神的なダメージを受けた人たちだ。

遺体は、きれいなままではない。体の一部が欠損しているのがほとんどだ。今まで遺体など見たことがない若い人たち。その収容に心が付いていかなくなったという。眠られない。食べることができない。中には幻聴や幻覚まで起きた人もいるらしい。その状況を被災した人たちに見せることはできない。自分たちのせいで病気になったと余計な心配をかけるからだ。他の患者と会わないようにと、昼間ではなく、夜中にひそかに診療を受けていた。中には、治療に時間が掛かるからと、こっそりと送り返される人もいたらしい。

一面の泥の中、自衛隊員が一列に並んで地面に棒を突き刺す。人間に当たると手ごたえが違う。見つけると掘り出す。きれいに洗って役場職員に渡す。遺体安置所に運ぶのは、職員の仕事だった。職員の中にも体調を崩す人が出た。遺体の収容は、心にダメージを与えることが多かった。辛い仕事、過酷な仕事を率先してやってくれた自衛隊の皆さんに感謝したい。早く家族に会わせたい一心で遺体捜索をしたという。

自衛隊は六月までの三ヶ月間、活動してくれた。任務が完了して帰還する朝、新地町の道路は町民であふれた。広報で知らせたわけではない。集まれと言われたわけでもない。

「明日の朝、自衛隊が帰るらしいよ」

という噂が瞬く間に町中に広がったのだ。

「ありがとう！　ありがとう！」

お礼の言葉が飛び交う中、来た時のように車列を組んで、彼らは帰っていった。手を振って見送る町民も、敬礼で応える隊員も、共に泣いていた。

時々、震災の夜の見事な星空を思い出す。そして、クルクルと赤色灯を回しながら入ってきた車列の映像が目に浮かぶ。自衛隊が助けに来てくれた。不安と絶望の夜に、頼れる人たちが来た。どれだけ心強かったことか。その時感じた安堵の気持ちは、あの夜の光景と共に今も忘れることができない。

帰還する自衛隊を涙で見送る

［令和四年一月十二日］

黒い雨

「黒い雨」という映画がある。田中好子さんが演じる若い女性が、広島に落ちた原爆で被爆する話だ。彼女は、直接被曝を受けたわけではないが、翌日、広島市内を歩き回る。前日に降った黒い雨にもあたっていた。被爆者というので差別され、やがて病気になるという映画だ。私は予告編で田中さんの髪の毛がごっそりと抜ける場面を見て震え上がった。そしてこの映画は怖くて見ることが出来なかった。だから結末など詳しいことは知らない。

三月十一日。指定避難所の農村環境改善センターが津波で床下浸水した。急遽、役場の三階が避難所になった。だが、そこが自衛隊の本部になるという。大急ぎで改善センターの床の泥出しをした。役場三階から改善センターの中にある保健センターに引っ越したのは二日後だった。保健センターには和室が二部屋あり、そこは高齢者が使った。他の人は、フローリングに敷いた二畳のカーペットが一家族分のスペースになった。床にはびっしりとカーペットが敷かれた。

「福島第一原発が危ないらしいぞ」

誰かがそんな情報を持ち込んできた。役場の職員に聞いてもはっきりしたことはわからない。ここにはテレビもなく、何も情報がないのだ。誰かがラジオを持って来た。ラジオを中心にしてみんながぐるりと輪になって座った。みんなの表情が曇っている。〝トイレの百ワット（無駄な明るさ）〟と言われている夫でさえ無口だ。

ラジオのニュースは、原発で爆発事故が起きたので外出を控えるようにと放送していた。

「窓を閉めろ！　カーテンを引け！　外に出るなよ！」

という人がいて、少しでも被曝するのを防ぎたいと、窓が閉められカーテンが引かれた。

第一原発からここまでどのぐらいの距離があるのだろう。放射能はここまで届きはしないのか。避難しなくてもよいのか。避難するとしたらどこに行ったらいいのだろう。いろいろなことが頭に浮かび、考えの整理がつかない。役場に聞いても何も情報がないという。県からも国からもはっきりした情報は来ていないらしい。不安を通り越して恐怖が心を支配する。

「もし万が一のことがあったら逃げよう。まだガソリンが三分の二ぐらいは残っている。正嗣の車のランドクルーザーは燃費が悪いからここに残して、ステップワゴンで逃げよう。すぐに出発できるように荷物はまとめておいてね」

と言ったけれど、その時の持ち物はハンドバックと、位牌が四つと、通帳が入ったバックだけだから騒ぐほどのことではない。

みんな押し黙ってラジオを聞いている。夜になって原発から十キロ圏内に避難指示が出たというニュースが流れた。アナウンサーの声が緊迫している。

「大丈夫だ。新地は原発から六十キロは離れてる」

と誰かが言った。そこにいた全員が同時にほっと息を吐いた。

十三日に大きな余震が来た。慌てて山の方へ逃げた人がいたぐらい大きい余震だった。何度目の余震だろう。数えきれないほど余震が続き、地面が揺れるたびに体がこわばる。心臓がバクバクする。

やっと、エントランスに大きなテレビが運び込まれた。一日中、ＮＨＫの映像が流される。

「原子炉の状態は悪化していますが、政府の発表によると人体への影響はないとのことです」

アナウンサーが抑揚のない声で言っている。ひとまず安心したのもつかの間、翌日には避難指示が二十キロ圏に拡大し、そしてさらに三十キロにまで広がった。ますます事態は悪化の一途をたどっているらしい。さして広くない保健センターにぎっしりといた人がちょっと少なくなった。小さな子どもがいなくなった。被爆を恐れて家族ごと、どこかに避難したのだ。

十四日に三号機が爆発した。テレビ画面は、白煙がキノコの形に立ち上る様子をはっきりと映した。さすがに、大変な事態になっていることを認識する。びっしりと床を埋め尽くしていた人がさらに減り、いくらか隙間ができた。

「親類から電話が来て聞いたんだども(聞いたのだけど)、原発の作業員がみんな逃げたっつう(という)話だ」

映画の予告の一場面が頭に浮かぶ。ごっそりと黒髪が抜けるシーンだ。被爆したらあのようになるのだろうか。焦燥と恐怖で震える。

「なぁに、被爆したってすぐに死ぬわけではないんだべ。長生きすれば癌のリスクが高くなるだけのことだ。その頃俺たちは、年取って具合悪いんだか、放射能のせいだか区別付かねぇべ」

こんな時でも夫はのんきだ。私たちは良い。どうせ人生の残りは少ない。だが息子には将来がある。

この時はまだ結婚もしていなかったから、せめて結婚はさせたい。バックに入っていた住所録から、なるべく遠い所に住んでいる友人を選んで、数名分書き写した。万が一の時は、息子だけでも逃がそう。

しばらく息子を預かってくれるようにと、手帳のページを破いて手紙も書いた。書きながら涙が出て困った。どの友人も快く息子を引き受けてくれる人ばかりだ。その笑顔が浮かぶ。まるで遺書を書いている気分で、短い手紙を書いた。いざという時には、これを持たせて避難させる。今日は避難命令が出るか。今日こそは逃げなければならないか。一日、一日、薄氷を踏む思いで過ごした。

風が西に吹いたおかげで新地町は放射能汚染から逃れることができた。それでも風評被害に悩まされた。福島ナンバーの車は、他県に行くと、放射能をまき散らしているかのように嫌われる。原発の名前が「福島第一原発」だったことで、福島県全体が被爆したような印象を持たれたのだ。農産物はもちろん、福島県で作ったというだけでお菓子さえも買ってもらえなかった。

子どもたちもかわいそうだった。避難先でいじめられた。県外に避難出来ない子どもも大変な思いをした。放射能が心配で外で遊べない。プール授業も運動会も中止になった。汚染を心配して校庭の表土は剥がされ、風が吹けば土埃が舞った。除染しても、ホットスポット（放射線量が高い場所）が残っている可能性があるから、肌を出さないようにと指導された。彼らは真夏でも長袖に長ズボンにマスク姿で、汗だくで過ごした。さらにガラスバッチ（個人線量計）を首から下げさせられた。

幸い、黒い雨は降らなかった。だが、福島県民の心には黒い雨が降った。髪の毛は抜けなかったが、故郷が抜け落ちた。全町避難した場所では、地域で育んできた伝統芸能や行事、そして何より人間関係が消えてしまった。残念ながら、消えてしまったものを再生することは不可能だ。原発事故の後遺症は十一年経っても、いまだに続いている。

［令和四年二月九日］

真っ赤な口紅

明けない夜はない。必ず朝は来る。さぁ、朝だ。目を開ける前に布団の中でそっと祈る。

「どうぞ、昨日までのことがすべて夢で、目を開けたらここが釣師（つるし）でありますように」

だが、恐る恐る目を開けてもやはりそこは避難所。朝の光は絶望しか運んで来ず、ため息から一日が始まった。


最初は二百名ほどが、隙間がないほどぎっしりとひしめき合って暮らしていた。原発事故が起きたら突然人が少なくなった。会場に少しだけ隙間ができた。親類を頼れない人、行き場のない人が百二十人ほど残った。あっという間に、家を失った。家族を失った。そんな人々が保健センターの床に座って、下ばかり向いて生活している。だが、そんな中でも浜のお母さんたちは元気だ。

「後ろを見たってなんにも残ってねぇ（ない）。残ってねぇんだから後ろを見たって仕方ないべ。前向くしかねぇ」

「自衛隊が食事準備してくれているけど、あれ、自分たちで用意しないか？　自衛隊の人たちには行方不明の人を探してもらった方が良いんでねぇべか（良いんじゃないかしら）」

「んだな（そうだな）。何かしていると気がまぎれる。食事の準備は自分たちでするべ」

四十名ほどが手を挙げて炊事係を引き受けた。三グループに分かれて毎日の炊事支度をした。みんな、何か手掛かりになるものを探していたのだ。足掻（あが）きながらも、まだどこかにエネルギーが残っていることを感じていた。立ち上がる力、歩き出す気力が体のどこかにきっとあるはず。そのためには掴んで起き上がるなにかが欲しい。炊事当番はその役目をした。誰かのために仕事をする。たちまち気持ちが上を向き、女たちはいち早く顔を上げた。だが男どもは下を向いたまま、グダグダと泣き言ばかり繰り返している。いつの世も、まず、どん底から這い上がろうとするのは、男よりも女なのかもしれない。

「被災弱者」と呼ばれる人たちもいた。高齢者と子どもと障害者だ。年配者には、二部屋ある和室を解放した。木の床にカーペットを敷いただけの保健室よりも、畳が敷いてあるぶん体に優しい。だが、その和室にも問題があった。断水が続いてトイレが使えない。

外に置かれた仮設トイレが遠いのだ。足や腰が痛い人が多くて歩くのが大変だった。それならと和室そばの断水中のトイレを使うことにした。水はバケツに汲み置きして柄杓で汲んで流した。若い人たちがバケツの水の補給や、流し損ねたものの処理を、嫌がらずに引き受けた。

自閉症の人もいた。彼は、大勢の人と一緒の生活が始まったことでパニックになった。突然夜中に大きな声を上げて、部屋の中を叫びながら走り回る。暮らしていた施設が原発の近くなので避難せざるを得ず、家族に引き渡されたのだ。他の施設が見つかるまでという約束で避難所に住むことを許された。だが自閉症のことを知らない人から苦情が出る。そんな時、説得してくれる人がいた。

「あの人だって被災者だべ。どこにも行く場所がないのはみんな同じだぁ。ここにいる人はみんな仲間だぁ。人間には二通りある。我慢できる人と我慢できない人。我慢できない人に我慢しろっていうのは無理だべ。我慢できるものが我慢するべ」

物置部屋の中を全部廊下に出し、一部屋を確保した。彼の家族がそこに住んだ。彼らだけが個室を使うことに、不満をいう人は誰もいなかった。

ある日、役場職員が不用意に
「あら、まだここにいたんですか？」

と彼の家族に言った時には、避難所にいた全員が怒った。

「まだいたかっていう話はないべ！」

「ほだ、ほだ（そうだ、そうだ）。行くところがあったらこんな所にいねぇで、とっとど出ていく。行く場所がないから仕方なくここにいるんだべ！」

みんなに取り囲まれて総攻撃を受けた職員は、小さくなってすごすごと帰っていった。

若い奥さんが泣いていた。聞くと、リップクリームを塗っていたら
「あんた！　この非常時に化粧するとはどんな神経してんの！　まだ家族が見つからなくて泣いている人たちもいるべ！　よく化粧なんてできるもんだ！」
と叱られたという。戦時中でもあるまいし、そんなことを言う人は誰だろう。聞いてみたら壁際に陣取っているお婆さんだという。気付かれないように、そっとその顔を見た。なるほど、いかにもそんなことを言いそうだ。ブルドック顔のその人は、大きなおなかを

揺すりながら、走り回る子どもたちをうるさがって怒鳴っていた。

すぐにスーパーでファンデーションと口紅を買ってきた。よしよし。今がチャンスだ。あの婆さんはこちらを見ている。おもむろにコンパクトを取り出し、パタパタと音がするほどの勢いでファンデーションを顔に叩きつけた。婆さんが呆気にとられて見ている。次に口紅を取り出してこれ見よがしに塗った。目立つようにとあえて選んできた真っ赤な口紅だ。婆さんの口は、さっきよりもさらにポカンと開いている。そして何か文句を言いに来るのを二人で待った。来たらひとこと言ってやろうと手ぐすね引いて待った。だが婆さんは来ない。

「ねっ！　ああいう人って、人を見て文句を言うのよ。あなたが若いから文句を言えたんだね。私を手ごわいと恐れたのかな。きっと言い負かされると思ったんだよ」

「私だって朝日館の奥さんには何も言えないです。かたき討ちできて気が収まりました」

そういって彼女は笑った。かたき討ちという言葉がおかしかった。

半月ぶりにファンデーションを塗った。手入れも何もせずほったらかしの私の顔は、浅黒く艶もなくなっていた。やつれていて皺もシミも増えた。第一、まともに鏡を見たのも半月ぶりだ。鏡の中にまるで粉を吹いた干し柿のような私の顔。人を喰ったような真っ赤な口紅が艶々と光っている。おまけに髪の毛は油っ気がなくボサボサだ。

「あら！　まるで山姥(やまんば)だわ！」

と、お腹がよじれるほど二人で大笑いをして溜飲を下げた。

あの時の真っ赤な口紅はその後の出番がないまま、十年経った今でも私の化粧道具の中にある。もう使わないから捨てようと思っても、どうしても捨てることができない。

百二十人も一緒にいるといろいろなことが起きる。そのたびにみんなで話し合った。話し合いは、時に喧嘩腰になることもある。だが「まぁまぁ」と上手になだめてくれる人がいた。なにも残っていない。住む家さえもない。そこにいる人全員に共通の身の上があることで、不思議な連帯感が生まれた。被災したという諦めと悔しさ。その半面、津波になど負けるものかという不屈の思いを共有していたからこそ、まるで大家族のように仲良く暮らせたのかもしれない。

今思うのは、たとえすべてを失ったとしても、生きてさえいれば人生は何とかなるということ。あの時に思いがけなく命を失った大勢の人がいる。彼らはきっと今日という日をどんなにか生きてみたかったことだろう。その人たちの分まで楽しく生きるという宿題がある。難しい宿題だがそれを背負って生きて行くのが、生き残った者の役目だと思っている。

［令和三年九月二十二日］

弁慶の立ち往生

「朝日館が残っている」とみんなが言う。半信半疑で町役場の屋上から眺めた。すべて流されて住んでいた地域は平地になって何もない。数日前までそこに町があったとは誰が想像できよう。まるで黒魔術にかけられたかのように町は消えていた。その平地のまん中にポツンと残っている建物。あれが我が家だろうか。見に行きたい！　確かめに行きたい！　だが、原発事故の影響で外出は禁止されていた。

だが、どうしても見に行きたいという衝動が抑えきれず、震災からわずか一週間後に現実を確かめに出かけた。もっと早く行きたかったが、津波の海水はなかなか引かず、一面が海のままだった。やっと海水が引き道路の瓦礫が片付けられて、歩けるようになるのに数日かかった。見に行きたくて、行きたくて、そのチャンスをウズウズしながら待っていた。

「あんたは行ってはダメ。将来があるから被爆させたくない。ここで留守番していなさい」と息子は避難所に残して、夫と二人で出かけた。

ツルツルしたものは、放射能に汚染されにくいと聞いた。万が一汚染されても洗い流せるという。ビニールのレインコートを着て、毛糸の帽子の上からすっぽりとフードをかぶり、ゴム長靴にゴム手袋、マスクを二重にした。

「朝日館、そんな重装備でどこさ行くのやぁ？（どこに行くのですか）」

と、避難所の人たちに半分からかわれながら
「家の様子を見てくる」

と、意気込み勇んで出かけた。

だが、いくらも歩かないうちにどんどんその気持ちが萎えていく。あったはずの知人の家がない。ここにあった店もない。ここも……。すべての家が、土台しか残っていない。踏切の脇の川には、十数台もの車が川の中にひっくり返っていた。ダンプカーも数台。運転していた人たちは助かったのだろうか？　あの時、この踏切で停車したままだったら、私たちも流されたかもしれないと思うと寒気がする。

「あっ！　バス！」

夫が指さす方を見ると、はるか離れた田んぼの中におなかを上に向け、半分つぶれたバスが見えた。「旅館　朝日館」という文字がはっきりと読み取れる。

　小さな旅館だった我が家。従業員も少なく、夫は経営者だが浜での仕入れも、調理も、送迎バスの運転手も兼務していた。このバスでどれだけの数のお客様を送り迎えしたことだろう。夜九時を過ぎるとタクシー会社の営業が終了する田舎の小さな町。「宅配バス」と称して、夫は客を一人ずつ玄関先まで配達して廻った。彼の帰宅はいつも深夜になったが、酔っぱらった客には喜ばれた。娘が大学に入学した時は、このバスに荷物を積んで引っ越しをした。従業員を乗せて旅行したこともある。いっぱい思い出があるバス。駆け寄って抱きしめたい衝動に駆られる。だが膝まで泥に埋まりながら、あそこまで進むのは難しい。遠くから眺めて諦めた。

一瞬で住んでいた町が無くなった

朝日館があった場所を目指して歩く。

「あれは、我が家かなあ？　ちょっと違う気がしない？　本当に朝日館？」

我が家のようであり、ちょっと違うような気もするその建物。近づいてその訳がわかった。

荒野の中にポツンと我家だけが残った

本来ならあるはずの別棟の木造の大広間が、津波に流されてすっぽりとなくなっていたのだ。震災前には道路からは大広間が見えた。それがなくなり、今までは見えなかった西側の壁が見えるから、自分の家ではないと思ったのだ。百二畳の部屋に舞台までついていた大広間は、土台しか残らなかった。

玄関ホールは一階部分がつぶれて、二階の部屋が一階になっていた。あたり一面、いろいろな物が散乱している。涙が止まらない。泣くまいと思っても泣けて仕方がない。夫はとうとうしゃがみ込んで地面に膝をつき、顔を両手で覆って声を上げて泣き崩れている。

そうだよね。悔しいよね。悲しいよね。ここで生まれて育ったあなただもの、慟哭するのは当たり前。嫁に来た私でさえ声を上げて泣いているのだから。

裂けて汚れた布団が鉄骨に何枚も引っかかっていた。どこの家のものだろう。見慣れない洗濯機が横倒しで流れ着いている。夫が仕入れに使っていた軽トラックは、頭を建物に突っ込んでペシャンコだ。

見廻すとどこにも色彩がない。景色のすべてが泥の色だ。いや、色だけではない。音も消えていることに気が付く。ついこの間まで聞こえていた音がないのだ。行き交う人々の挨拶、おばあちゃんたちの立ち話、学校帰りの子どもたちの笑い声。日常生活の色と音がすべて消えた。潮風だけが通り過ぎる。虚しさが足の先から静かに這い上がってくる。

家の中に入ると、何かが腐っているような臭いがする。

「臭いなぁ。まさか遺体でないべなぁ」

という夫の言葉に震え上がった。あちこちで、見知らぬ人の遺体が見つかったという話を聞く。恐る恐る建物中を探し回った。どうやら遺体ではなさそうだ。異臭は、業務用の大型冷蔵庫から漂っていた。あの日に仕入れた大量の魚やカニが、プラスチックの魚樽に入ったままこの中にあるらしい。どんな状態で腐っているのか、怖くて冷蔵庫の中は覗けない。泥だらけでも流されずに残っているものもあり、立ち去りがたくて何時間も家の中を歩き回った。

「みっこぉ！　ちょっと来てみろ！」

夫の呼ぶ声で駐車場に行ってみる。見つけたのは「旅館　朝日館」という電飾看板だった。プラスチックの看板が完全な形で残っていたのだ。少し傾いた建物の壁にへばりつくように、そっくり残っていた。驚くことにヒビさえも入っていなかった。

いったいこれはどういうことだ。周りの壁も窓も、近くに建っていた夫のアマチュア無線の鉄塔も、何もかもすべて壊され流された。それなのにプラスチックの看板が無傷で残った。真っ先に流されても不思議ではないのに。それはまるで老舗のプライドが残っているように見える。

旅館は明治の初めごろから営業していた。小さな旅館だが百三十年以上の歴史がある。

新地町では一番古い旅館だった。

　まるで弁慶の立ち往生だ。満身創痍の建物に「旅館　朝日館」と、胸を張ってくっついている看板。毅然として、決して怯むことなく堂々と存在している。渾身の力を振り絞り、最後まで流されずに残った。その健気さに、涙が止まらない。

　落ち込んだ時、今でもこの看板のことを思い出す。私は朝日館の女将だった。だからあの看板に負けないように、いつも凛として生きていかなければ。

　ここで暮らした日々を決して忘れない。見ていたものはすべて幻のように消えてしまった。だが見えないものは、胸の中にちゃんと残っている。

［令和四年二月二十三日］

奇跡！　看板が壊れずに残った

一千個のぼた餅

平成二十三年三月、震災後しばらくの間、私は避難所にいた。避難所は狭くて、寝返りを打つとすぐ横に隣の人の顔があった。床に敷いたカーペットの上に、着の身着のままで寝ていた。掛け布団はあったが、敷布団はなかった。その掛け布団でさえも、三人家族なのに二枚だった。今考えるとずいぶんひどい状態だったと思う。だが、あの時はその日を過ごすことしか念頭になく、他のことまで思いが回らなかった。自分がひどい状態だということさえ認識できないでいた。その日、その日を生きるのに必死だった。「暮らすのに」ではない。まさに「生きるのに」必死だったのだ。

被災直後は、自衛隊が食事を作ってくれた。だが一週間もすると誰が言うともなく「自衛隊には行方不明者の捜索をしてもらった方がいい。食事ぐらいは自分たちで作ろう」とお母さんたちで食事当番を決めて自炊が始まる。

被災直後の一週間は、どこからも支援品が届かなかった。支援品で暮らしているのだから、何も届かないと食べるものさえない。最初は、新地町で備蓄している食料と、自衛隊提供の缶詰だけだった。そのうち被災しなかった町内の人たちから、米や野菜、味噌が届くようになった。田舎の小さな町なので、お互いが顔見知りだったこともあり、

「困っている時はお互い様だ」

と食べ物を届けてもらえたのだ。新地町民でよかったと心から思った。小さなおむすび一個とちょっとした野菜料理がほんの少々。それが毎度の食事だ。一日におむすび一個しかなかったという避難所もある中、三度食べることができたことには感謝しかない。有り難かった。時には漬物が届くこともある。メニューが一品増えるだけでみんなのテンションが上がった。

日が経つにつれて支援物資が大きなトラックに積み込まれて続々と届くようになった。米、水、シーチキン、カップラーメン、なめ茸がドドッと来た。みんな同じことを考えるんだなぁ。同じものばかり大量に届く。もっと違うものが食べたいのに、シーチキンとなめ茸の日が何日も続いた。何も食べ物がない時には何をもらっても喜んだくせに、食料が

届くようになったら不平や不満が出るとは、なんと身勝手なものだと自嘲する。

震災から十日過ぎて春彼岸になった。多くの人が亡くなったのに、供養のぼた餅をお供えすることができない。

「せめてぼた餅ぐらいはお供えしたかったね……。そうだ！　小豆をもらえるか聞いてみる」

何人かが親類の農家に電話して小豆を手に入れた。白玉粉もひと袋もらったという。支援物資の中に砂糖がないか探してやっと四袋見つけた。小豆が入った大きな袋が三つ。砂糖が四袋。ぼた餅にしたら何個できるだろう。一口大のぼた餅を作っても全員に渡らない。

「そうだ！　お汁粉にするべ（しよう）！　お汁粉なら全員で食べられる！」

それならとお汁粉を作ってはみたものの、小豆と砂糖の量が足りなくて、シャバシャバに薄く甘味が足りないものが出来上がった。その中に小指の先ほどの小さな白玉団子を二個入れた。

「今日はお彼岸の中日です。ぼた餅とはいかなかったけど、みんなでお汁粉を食べて供養しましょう」

紙コップに入ったお汁粉が全員に配られる。うっすら甘いだけのお汁粉だったが、そんなお汁粉でもみんなが喜んだ。温かい紙コップを両手で包んで嬉しそうにお汁粉をすすった。

五月に仮設住宅が完成して、全員が避難所から引っ越した。そんなある日、私のところに重くて大きな段ボールが届いた。送ってくれた人の名前に記憶がない。開けると中には、たくさんの小豆ともち米、砂糖、そしてお線香までが入っていた。手紙には、

「まもなく新盆です。どうぞぼた餅を作ってお供えしてください」

と書いてあった。お汁粉のことを書いた私のブログを読んだ見ず知らずの方からの支援だった。

あの時、お汁粉を泣きながら食べているお婆さんがいた。どうしたのだろうと側に行くと、

「私ね、じいちゃんが行方不明だって聞いた時も、遺体が上がった時も涙が出ねぇがったの（出なかったの）。自分の亭主が死んだつうのに（死んだというのに）涙一つ流さねぇなんて、なんて薄情な女（おなご）だべって自分のこと責めてきた。ほだども（だけど）今、うちのじいちゃん、飲んべぇだったげんと（けど）甘いものも好きだったなって思ったら、泣けてきて……、泣けてきて……、今日初めて泣いだの。ありがとう」

と言って涙を流した。その話を聞いていた周りの人たちもお汁粉の紙コップを握ったまま泣いている。

避難所では、家族の遺体が見つかってもワンワン泣く人は一人もいなかった。大勢の人がいるので、自然に自分の感情に蓋がされたのかもしれない。感情むき出しで泣く人を見かけなかった。けれど昼こそいなかったが、夜中にはあちこちから微かなすすり泣きが聞こえた。夢にうなされる人もいた。

薄くて甘くもないお汁粉だけれど、その温かさが心の蓋を少しだけ緩めたのかもしれない。泣くことも大事。泣けて良かった。ブログにはそう書いたのだ。

嬉しいけれど、材料をもらったからにはぼた餅を作らなければならない。これは大変なことになった。少量なら私一人で作れる。だがこれほど大量では一人では無理だ。急遽、仮設のみんなを集めて相談した。「ぼた餅大作戦」の開始である。

お盆の十三日。保健センターの調理室に早朝五時に集まったのは、仮設のお母さんたち四十人ほど。避難所で炊事係をしてくれたあのメンバーだ。食中毒が怖かったので、気温が上がらないうちに作り終える作戦。食材は新地町からの支援を含めると、送ってもらった量の三倍はある。

さあ！　始めるよ！

パックに詰められたぼた餅は一千個

小豆を煮る人。もち米をたく人。丸める人。あんこを付ける人。パックに詰める人。パックの数を数えて段ボールに詰める人。ワイワイと大騒ぎしながら、それでもみんなどこか楽しそうに作業している。大勢の手で、あれよ、あれよという間にぼた餅が出来上がっていく。

詰め終わったぼた餅は、カークーラーをかけて外で待機しているお父さんたちの車に積み込まれ、仮設住宅の各戸に人数分が配られた。新地町内だけでなく、隣町の相馬市や山元町に避難している人たちにも配った。

作業終了後に、お母さんたちみんなでスイカを食べた。

「何個作ったべ。計算してみるから。あやぁ！　一千個だべしたぁ！（でしょう）」

記録係の素っ頓狂な声にやり切ったという思いがこみ上げる。みんな晴れ晴れとした笑顔だ。誰かが拍手した。するとつられて全員が拍手した。どの顔も満足げだ。拍手をしながら、なぜか全員が泣いていた。


住んでいた町が津波によって一瞬で消えた。五百戸ほどあった地区は、家の土台だけを残してすべて流された。わずかに我が家と漁協と卸業の「海華(かいか)」の建物の無残な鉄骨だけが残った。友人知人が大勢亡くなった。原発事故も起きた。あの年を思い出すと胸が痛くなる。だが辛いばかりではなく、心が温かくなる出来事があったことにほっとする。もし震災がなかったら、みんなでぼた餅

涙と笑顔で食べたスイカの味は忘れない

を作ることはなかった。ワイワイと楽しみながら作業することもなかった。
あの夏、みんなで一千個のぼた餅を作った。忘れられない宝物のような思い出である。
［令和三年九月二十九日］

箱の中

私たちがいた避難所は狭かった。魚市場で競られるマグロのように、横一列に同じ方向を向いて寝ていた。隣の列の人たちは反対に足を向こう側にして一列で寝た。お互いの間隔も狭くて、寝返りを打つと隣に寝ている人の顔がすぐ横にあった。おまけに列と列の間も、やっと歩けるほどしか隙間がなかった。夜中にトイレに行く時に、うっかり他人の足を踏まないかビクビクしながら歩いた。テレビで他の避難所を見ると、段ボールで衝立を作っていることが多い。だが私たちの避難所は衝立を立てる余裕さえもなかった。

今思うと、よくあのような密な状態で生活していたものだと感心する。しかも最初のころは、顔を洗うタオルも歯ブラシもなかった。いや、それどころか着替えの下着もないし、お風呂にも入れなかった。着の身着のまま、お風呂にも入れず何日か過ごした。思い出すと自分のことが汚くてぞっとする。だがその時は一日一日を生きるのに必死で、汚いと思う気持ちの余裕さえもなかった。数日して夫の妹や友人が着替えを届けてくれ、断水が解除したからとお風呂にも入れてくれた。数日ぶりのお風呂に浸かったとたん、なぜか涙があふれて止まらず、湯船の中で声を出さずに泣いた。

福島県では、震災の三日後に原発事故が起きて、被爆するからと外出が禁止になった。少しでも放射能を防ごうと、窓にはカーテンが引かれる。東電や政府からの詳しい情報は何もなく、そのことが動揺をさらに大きくした。誰もがこの先のことを考えると不安でいっぱいだった。避難所にびっしりといた人が、突然少し減る。小さな子どもがいる家族が、他所に引っ越したのだ。口には出さなかったが、誰もが放射能に怯えていた。親類を頼って避難所から出ていく家族が出始める。新地町から離れたくない人、行く当てがない人、そして家族が行方不明の人が残った。避難所に少し隙間ができた。

被曝するから外出するなと言われても、行方不明の家族を探す人たちは早朝から捜索に出かけていく。そして毎日、どこかで誰かが見つかる。家族の遺体が見つかった人に「良かったね」と言う辛さ。亡くなったのに……良かったって……。なんと悲しいことだろう。

多くの人が行方不明のままだ。せめて遺体だけでも見つかって良かったと思いたいのだ。一方で遺体が見つかったことで、どこかで生きているかもしれないという一縷の望みが絶たれる。良かったと言うたびに胃のあたりにキリリと痛みが走った。

告別式が毎日のように続いた。着の身着のままで逃げたから喪服などない。お悔やみを用意することもできなかった。お線香をあげるだけの参列。遺族も参列者も悲しさと悔しさで手を合わせた。


避難所には大勢の子どもがいる。その中に保育園児の双子がいた。父親が行方不明だった。だが二人はとても元気だ。支援物資の中に子ども用のおもちゃやお菓子が入ってくるようになったのは、十日も過ぎたころだったろうか。狭い避難所のわずかな隙間を、大きな唸り音をあげてラジコンカーが走り抜ける。男の子二人がドタバタとその後を追いかける。

「せずねぇごど(うるさいこと)、おどなしくしてろ(おとなしくしていなさい)!」

と横になっていたおじいさんが、むっくりと起き上がって叱った。

「なぁに、いいべした(良いでしょう)。子どもは元気な方がいい。大人がみんな下向いてんだから、せめて子どもぐらいは元気でいてもらわねぇど（もらわないと）」

「ほだほだ（そうだそうだ）、子どもが元気がねぇ（ない）のは病気の時だ。子どもは元気なほうが良い。かまわねぇ。（かまわない）遊べ！　遊べ！」

側にいたおばあさんたちが一斉に援護する。子どもたちはどこ吹く風と元気に走り廻る。


ある日のことだった。双子の一人が走ってきて、私の背中から首に手をまわして抱きついてきたのだ。

「だぁれかな？　たつろう君かな？　てつろう君かな？」

私は努めて明るい声で言いながら背中に手をまわした。なぜならその日は、二人の父親の告別式だと知っていたから。探していた遺体が見つかり、やっと告別式ができたのだ。

だが、彼はしばらくの間無言だった。背中の重みが父を失った子の悲しみのように思える。

「たっちゃんかな？　てっちゃんかな？　どっちかな？」

ちょっとふざけた声でもう一度言って、背中にまわした手でそっと彼を抱きしめた。すると私の耳元で、小さな声でささやいた。

「あのね、パパがね、箱の中にいたよ」

咄嗟にはその言葉の意味がわからなかった。

そうか、この子は棺に入れられた父親を見てきたのか。そう理解するまでちょっと時間がかかった。なにか慰めの言葉をと思うが、急で何も浮かばない。

「そう……」

一言しか言えなくて、なにかやさしい言葉かけてあげなきゃと焦っているうちに、彼は私の手を振りほどいて向こうに走り去った。

幼い子は不思議だったのだ。ついこの間まで元気だったパパが動かない。それだけでも不思議なのに、大きな箱に入れられている。「どうしたの?」と聞いてみたいが、告別式の雰囲気では、ママや周囲の大人に聞くのが憚られたのかもしれない。彼なりに気を使ったのだろう。

避難所に帰って来てからも、ずっとそのことが気になり、箱の中のパパのことを誰かに言いたくて仕方がなかったのだ。自分が感じた謎を誰かに聞いてほしかった。それほど親しくもないあのおばさんなら、言っても差しさわりがなかろうと思ったのかなぁ。それでちょっと逡巡しながらも私の耳元でささやいたのかなぁ。それならもっと、何か気が利いた言葉をかけてあげれば良かった。どうしてもっとぎゅっと抱きしめなかったのか、後悔が残る。優しい言葉一つかけられなかった自分が、今更ながら不甲斐ない。

それからしばらくして、彼らの姿を見なくなった。福島原発事故の被曝を怖れたのだろう。親類を頼って避難所から出て行ったという。

あれから十一年経ったが、私の背中にはあの時の感触がまだ残っている。二人は高校生になっているはずだ。あの日の出来事が心の傷になっていないことを願う。あの子たちは、お互いに励ましあい、力を合わせてママを守っているだろうか。人生のいろいろなことに負けずに、たくましく育ってほしい。彼らの未来が幸せでありますように！　と、心の底から祈っている。

※子どもの名前は仮名です

［令和四年三月二十三日］

鬼の霍乱、青天の霹靂

津波被災して一ヶ月ちょっと過ぎた四月十九日のこと。夜中の一時半ごろ、夫に足を踏まれて目が覚めた。びっしりと並んで寝ている避難所。狭いから足を踏まれても仕方がないとはいえ、夜中に突然起こされてむっとした。トイレに行くんだな。足を踏んだら「ごめん」ぐらい言ってもよさそうなのにと思いながら、布団をかぶり直した。

ドン！　鈍い音がした。

「誰かが倒れた！」

「てっちゃんだ！　てっちゃんが倒れた！」

驚いて飛び起きた。倒れた夫は高いびき。

「脳卒中だ！　動かすな！」

誰かが叫ぶ。息子が救急車を呼んだ。まもなくいびきが止む。呼吸が止まり心音もないという。

「心臓マッサージできるやついるか？　誰か心臓マッサージしろ！」

消防団員が走ってきてマッサージを始めた。息子がＡＥＤを取りに走る。ピーポー　ピーポー。すぐに救急車が来た。消防署は避難所から二百メートルほどの目と鼻の先にある。近所で良かった。あっというまに担架が運びこまれ、夫は救急車に乗せられた。

「会長！　会長！　わかりますか？」

救急隊員は何度も耳元で声をかける。夫はその時、新地町防火安全協会の会長だった。

「意識レベルゼロ！　心肺停止！」

本部に無線連絡する隊員の声が救急車内に響く。私の心臓も止まりそうだ。だが、心臓マッサージが始まると、数分で夫の目が開いた。

「会長！　わかりますか？」

「わかる。迷惑をかけてすまねぇ。トイレに行きたかったんだ」

会長はのんきな声で答えた。私はほっとして体中の力が抜け、その場に崩れ落ちた。倒れた夫を見た時、未亡人という言葉が一瞬頭をかすめたことは、夫にも救急隊員にも内緒だ。

とにかく生き返って良かった。彼はそのまま相馬市の病院に運ばれ検査入院になった。脳外科でＭＲＩやエコーの検査をし、さらに循環器科や呼吸器科でも検査をしてもらった。だがいずれも異常なしだった。私は未亡人にならずに済んだ。あの騒ぎはいったい何だったのだろう。まったく人騒がせな人である。

「俺は、どこも悪い所がないんだと！　そうだなぁ、強いて悪い所を探せば、顔と性格かなぁ。ほんでも（それでも）それは、どんな名医だって治すことはできねぇべ」

どや顔で宣（のたま）い、五日ほどで退院した。

一方、私はと言えば、その数日前から風邪をひいて体調を崩していた。咳は出るし鼻水も出る。夜になると、微熱が出て体がだるくて何もしたくない。町役場の一室に、臨時の診療所が開設されていた。横須賀共済病院と三井記念病院の医師と看護師が、二十四時間体制で待機していた。そこから風邪薬をもらって飲んでも、体調は一時的に良くなるがまたぶり返す。偏った食事、プライバシーのない避難所生活のストレスが、自然治癒力を低下させていたのだろう。三日おきに廻って来る避難所の炊事当番の日は、私の代わりに息

子が調理室に行った。浜の元気なお母さんたちに揉まれながら炊事係をすることで、彼も少し大人になった

その間も、私の体調はどんどん悪くなる。熱は下がらないし、食欲もなく、何も食べられない日が続いた。寝ていて頭に浮かぶのは、ホームドクターの顔だ。あの二人に診てもらいたい。彼らの顔を見たら、それだけで治る気がする。ホームドクターとは、猪苗代町にある小川医院の今田剛医師とかおる医師夫妻。二人とも仲の良い友人で、私たち夫婦はずっと前から定期診察のために、毎月猪苗代に通っていた。連絡をすると、

「すぐに来なさい！　ぐずぐずしてないですぐに！」

電話口でかおるさんが言う。だが、数日後に、仮設住宅が完成する。その説明会もある。鍵の譲渡式もある。猪苗代には行かず、避難所にいるという私を息子が叱った。

「お母さん！　何が一番大事か良く考えなさい！　僕がここに残るから大丈夫。町の説明は僕が聞く。お父さんとお母さんは猪苗代に行きなさい」

息子に背中を押されて四月二十七日に夫の運転で片道三時間かけて小川医院に向かった。

瓦礫の中での生活から一ヶ月半ぶりに新地を脱出する。夫の運転する車が、山越えをし

て福島市に入った途端に心が安らぐ。あたりを見回しても緑がいっぱいだ。この解放感はどこから来るのだろう。思いっきり深呼吸をする。縮こまっていた細胞が酸素を吸い込んで、のびのびするのを感じる。

二人の医師は、「アットホーム　おおほり」という民宿の一室を臨時の病室として用意してくれていた。

「ここなら温泉もあるし、第一女将さんがお料理上手だから」

点滴などの医療器具を運び込み、入院生活が始まった。

「血液検査の結果、極度の栄養失調だったよ。戦時中ならともかく、今どき珍しい。何年ぶりかなぁ。久しぶりに栄養失調の患者を診たよ。ここの料理はおいしいからそれを食べて、温泉に入って、後はゆっくり寝ていればすぐに治るから」

剛さんはコロコロと愉快そうに笑った。誰もいない部屋。避難所と違い、プライバシーの心配も配慮もいらない。いつでも入ることができる温泉。そして女将さんのおいしい料理。私は自分でもびっくりするほど、どんどん回復していった。

「哲夫さんは、顔と性格以外は悪い所がないんでしょ！」

今田夫妻は退屈がっている夫を、夜な夜な誘い出して遊んでくれた。

鬼の霍乱、青天の霹靂。まさか入院をするなど思っていなかった元気印の私。今田夫妻の治療のおかげで元気になり、瓦礫だらけの新地に帰ってきた。ここを離れた時、ほっとした自分がいた。新地が嫌になったわけではない。瓦礫を見たくなかったのだ。見ると思い出すことがある。

近所に寝たきりの人がいた。介護している奥さんもいた。知っていたのに、避難する時に思い出さなかった。そして自分たちだけで逃げた。二人のことを思い出していたら助けられたのに。避難する時乗っていたのはワゴン車だ。座席を倒せば寝たきりでも乗せられた。それなのに彼らのことを思い出さなかった。助けることができなかった。二人の笑顔を思い出すたび、自分を責める。どうして思い出さなかったのだろう。私は辛かったのかな……。「仕方がなかったんだよ」と自分を納得させることが、どうしてもできない。自分を責めても命は戻ってこないと頭の中ではわかっていても、それでも悔やんでしまう。二人のことを思い出すから瓦礫を見るのが嫌だったのか……。

二人に「ごめんなさい」と、手を合わせる。思い出すと後悔で押しつぶされそうになる。いろいろな偶然が重なり命を拾った。これからもずっと二人に手を合わせて行こうと思う。

〔令和四年一月二十六日〕

第二章　ニューヨーク娘

仮設住宅

仮設住宅が出来上がった。震災から五十三日目の五月三日に鍵が渡された。入居するならいつでも引っ越せるし、しばらくは避難所にいても良いという。だが躊躇はない。鍵をもらったその足で避難所を出た。どうせたいした荷物があるわけでないしと。

新地町総合体育館横のサッカーグランドに百十戸の仮設住宅が出来ていた。高齢者だけの家族や障害者のいる家族はすでに五日前に引っ越している。

「朝日館！　隣かぁ！　よろしくなぁ！」

サッカー場に110戸の仮設住宅ができた

「朝日館はどこやぁ（どこなの）？　なんだぁ近所だべやぁ（近所だね）」

あちこちから声がかかり、近所が知っている顔ばかりでホッとした。

一棟の長屋に六軒が入居する。一軒の広さは、入居人数で変わる。二人までは四畳半一つ。三人になると四畳半が二つ。四人以上には六畳と四畳半。または二軒分がもらえた。我が家は三人家族なので四畳半が二つに、やっと一人が入れるぐらいの小さなお風呂とトイレがついていた。

玄関を入ると、大きなプラケースがあった。中にはお米やしょうゆなどの調味料、三人分の食器、鍋やフライパンが入っていた。台所にはガスコンロ、小さな冷蔵庫、電子レンジ、炊飯ジャー。部屋にはテレビやテーブルまであって、すぐに生活できるように準備されていた。半間の押入れには三人分の布団も入っている。

「なんでも揃っていて、至れり尽くせりだね」

と感激した。家電には「日本赤十字」というシールが貼ってある。これらはすべてが、全国からの寄付金で賄ったものだ。多くの人の善意が有り難かった。

それまでお風呂は、知り合いの画家のアトリエのお風呂を使わせてもらっていた。今夜から、好きな時間に好きなだけお風呂に入ることができる。食事も、避難所では全員が同じものを食べていた。今日からは食べたいものを、誰に遠慮することなく食べられる。あぁ嬉しい！　小躍りしたくなる。

久しぶりに三人だけで夕食を摂った。息子のリクエストで焼肉になった。隣町の相馬市のスーパーがやっと開店したと聞いて出かけた。建物はまだ安全が確認されていないからと、駐車場にテントを張った臨時の店舗だ。避難所では、肉や魚を食べたことがなかったと気が付く。支援の焼きそばに入っているひき肉が唯一のお肉だったなぁ……。魚は缶詰のシーチキンだけだ。やっとこうして三人で食卓を囲むことができるようになった。ここまで来た。大変だった。頑張った。いろいろな思いが込み上げる。お互いに顔を見合わせて無言で焼肉を頬張る。何か言ったら涙がこぼれそうだ。

布団はセミダブル。こんな狭い部屋にセミダブルか……。一部屋に二人分敷くと、両端が余ってしまい壁の所で折曲がる。部屋中が布団で一杯になる。

「おぉ！　新婚のようだなぁ！」

夫ははしゃいでいる。どんな状況でも楽しむ事が出来るのは、彼の天性だ。羨ましく思う。

プレハブなので壁が薄い。隣の家の音が筒抜けだ。歩く振動がそのまま伝わってくる。

という事は……、我が家の音や振動も隣に伝わっているという事だ。

「みっこ、あのなぁ」

「しぃ！　静かに！」

「これどうする？」

「しぃ！　静かに！」

声が大きい夫が何か言うたびに、注意する。夫は言われた瞬間は、口を押さえてひそひそ声になるがすぐに忘れて元の大きな声になる。おまけにドタドタと歩く。

「静かに歩いて！」

一日中、夫の後ろを追いかけて注意をするという、避難所とはまた違う気苦労があった。

「美保ちゃん！　はい！」

時々、窓が開いて近所から煮物の差し入れが手渡される。昼間は外のベンチで井戸端会議をした。暮らす距離が近いと心の距離も近くなるらしい。いや、あの避難所で大家族のように仲良く暮らしたからかもしれない。ここには昔の長屋のような親密な生活があった。それぞれの家族とまるで親戚のように暮らすことができた。不便なことさえも、みなで一緒に楽しんだ。

支援物資もたくさんいただいた。お米や果物、モルジブから大量のシーチキンの缶詰が届いたこともある。衣類もたくさんもらった。一番先に大量の衣料を支援してくれたのは、「アディダス」だった。

まだまだ、着替える物もなく不自由していた時のこと。

「ありがでなぁ（ありがたいなぁ）、やっと着替えることができた」

「これな、アメダスって言うんだど（言うんだって）」

「はぁ！　アメダス！　ハイカラだなぁ！」

お年寄りの会話にほっこりする。まるで制服のように全員がお揃いのアメダス、いや、アディダスのシャツやジャージを着て過ごした。

慰問に来てくれた人もたくさんいた。マッサージやヘアーカット。落語や歌謡曲などの音楽会。写真が流されてないだろうからと、家族写真を撮ってくれるカメラマン。お茶会をして話を聞いてくれる人たち。傾聴ボランティアというそうだ。ＡＫＢ４８のメンバーが三人きて歌った。翌日、年配の男性が玄関の掃き掃除をしながら鼻歌を歌っている。昨日のＡＫＢ４８の歌の一節だ。ワンフレーズだけを何度も繰り返し、繰り返し歌っている。今までは演歌か民謡しか知らなかった人が歌っている。

微笑ましくもあり、また切なくもある。震災がなければ、生でこの曲を聴くこともなかった。たとえワンフレーズでも歌を覚えることもなかっただろう。普通なら出会うことがない人と震災のおかげで出会えた。交流が楽しい思い出になったことは、ありがたい。

炊き出しも嬉しかった。いろいろな人が、各地から来てくれた。焼きそばやカレーライス。珍しい郷土料理の時もあった。お焼き、焼きまんじゅう、ご当地ラーメンなど。被災して心が沈んでいる時、みなで食べる炊き出しの料理に元気をもらった。おいしい食べ物は、体だけでなく心も元気になることを知った。

「東北で良かった」とある大臣が発言して物議を醸した。私は東北だからこそ、この震災を乗り越えられると思っている。隣の人と交流がない都会と違い、東北には「結（ゆい）」という伝統がある。田植えや稲刈りや藁ぶき屋根の葺き替えなどの大きな作業をする時は、お互いに力を合わせて助け合って仕事をしてきた。それはもはや文化と言ってもいい。東北には中央から虐げられたり搾取されたりという長い歴史がある。冷害や干ばつなどの異常気象にも苦しんできた。その度にみなで助け合って困難を乗り越えた。そんな長い歳月の中で培われたのが、黙々と努力して最後まで決して諦めない東北人の根性だ。我々はそんな先祖のＤＮＡをしっかり受け継いでいる。だから東北人は決して負けない。負けるものか。

［令和四年三月二十三日］

ニューヨーク娘

菜穂子が大事そうに朝顔の鉢を抱えて帰ってきた。歩くのもやっとの体でよく抱えて帰ってきたものだ。そのまま自宅には帰らずに、仙台駅から大学病院に直行した。喉に出来た癌は気管を押しつぶし窒息する寸前だった。すぐに手術して喉に呼吸のための穴をあけた。大事に抱えてきた鉢は、浅草の朝顔市で買ったという。水やりが心配で東京から抱えて帰ってきたのだった。朝顔はその夏、たくさんの花を咲かせた。退院した娘は、嬉しそうに毎朝水やりをしていた。だが、私は朝顔のことなど眼中になかった。娘の病状しか頭になかった。何とか治してやりたいと必死だった。朝顔のことは忘れていた。

娘が亡くなったのは翌年の平成十二年六月。遺品の中に小さなケースがあるのをみつけた。表にはマジックインキで〈朝顔の種。菜穂育てる。大きくなれよ〉と書いてある。中に朝顔の種が三十粒ほど入っていた。

「あぁ、そういえばあの時、大事そうに朝顔の鉢を抱えて新幹線から降りてきたなぁ」と思い出した。すぐに種をまいた。泣きながらまいた。

娘の朝顔は、びっくりするほど大きく育ち、たくさんの花を咲かせた。毎朝咲く朝顔にどれだけ励まされたことだろう。今朝は何輪咲いたかと確かめることが、生きる支えだった。「私は人の二倍勉強したし、人の二倍仕事をした。人の二倍遊んだから二倍生きたのと同じ。人生はね、長さじゃないんだよ。深さだよ。だからお母さん、泣かないでね」と言った娘の笑顔が思い出される。だが「泣くな」と言われても朝顔の花を見るたびに泣けて仕方がなかった。

秋になって朝顔はたくさんの種を付けた。ふっと「菜穂の朝顔が日本中で咲いたらすてきだなぁ」と思いついた。旅行好きだった娘。行きたい場所もあったことだろう。彼女の代わりに朝顔に旅をしてほしかった。

さっそくインターネットで植えてくれる人を募集した。すると、多くの方から申し込みが届いた。北海道から沖縄まで津々浦々。さらに上海やミラノやニューヨークに住んでいる友人からも申し込みがあった。

翌夏、各地から朝顔が咲いたという報告が続々と届いた。朝顔の花を使ってハンカチを染めて送ってくれた人もいた。上海の徳子さんは、近所の幼稚園にいきさつを説明して子どもたちに植えてもらったという。たくさんの花が咲き、「お嬢さんの朝顔」と名前が付いたそうだ。ニューヨークの浅野さんは、自宅のプランターだけでなくセントラルパークの花壇にも蒔いてくれた。管理員に見つかって引っこ抜かれたが、抜かれてもまた植えに行ったとメールが来た。だが、何度も植えたのに花が咲く前に皆抜かれてしまったらしい。抜かれても、抜かれても植えてくれた彼の気持ちが有り難かった。

東日本大震災の時、避難所の私宛に荷物が届いた。送り主は浅野さんだった。段ボールを開けると、たくさんのお菓子と一緒に袋に入った種が出てきた。

「きっと菜穂子さんの朝顔の種も流されたでしょうから。あれからずっと朝顔を植え続けています。朝顔はもうすっかりニューヨーク娘ですよ」

と手紙にあった。あまりの嬉しさに種と手紙を抱きしめて泣いた。アメリカのお菓子は、子どもたちに分けた。支援物資がやっと届くようになった頃だったので、まだみんなが甘いものに飢えていた。子どもたちの喜びようは、すごいというよりも凄まじいといったほうがぴったりだった。

私が嬉しかったのは、もちろんお菓子もだけれど、一緒に入っていた朝顔の種だ。浅野さんが十一年間、毎年種を採り春にまた植えてくださっていたことに感動した。そして私を思い出して送ってくれたことにも。浅野さんには感謝しかない。

何かと不自由で辛いことも多かった避難所だったが、朝顔の種が娘のように思えて元気が出る。愚痴はいつもこっそりと種に聞いてもらった。

仮設住宅に引っ越して、一番先にしたのはホームセンターで用土とプランターを買ってくること。たくさんの種が入っていたので、ご近所にも頼ん

芽を出し始めた朝顔

で育ててもらった。ニューヨーク娘はいっぱい私の愚痴を聞かされたのに、めげずに元気に芽を出した。近所に養子に出した朝顔もすくすくと育ち、その夏はたくさんの花が殺風景な仮設住宅を彩った。

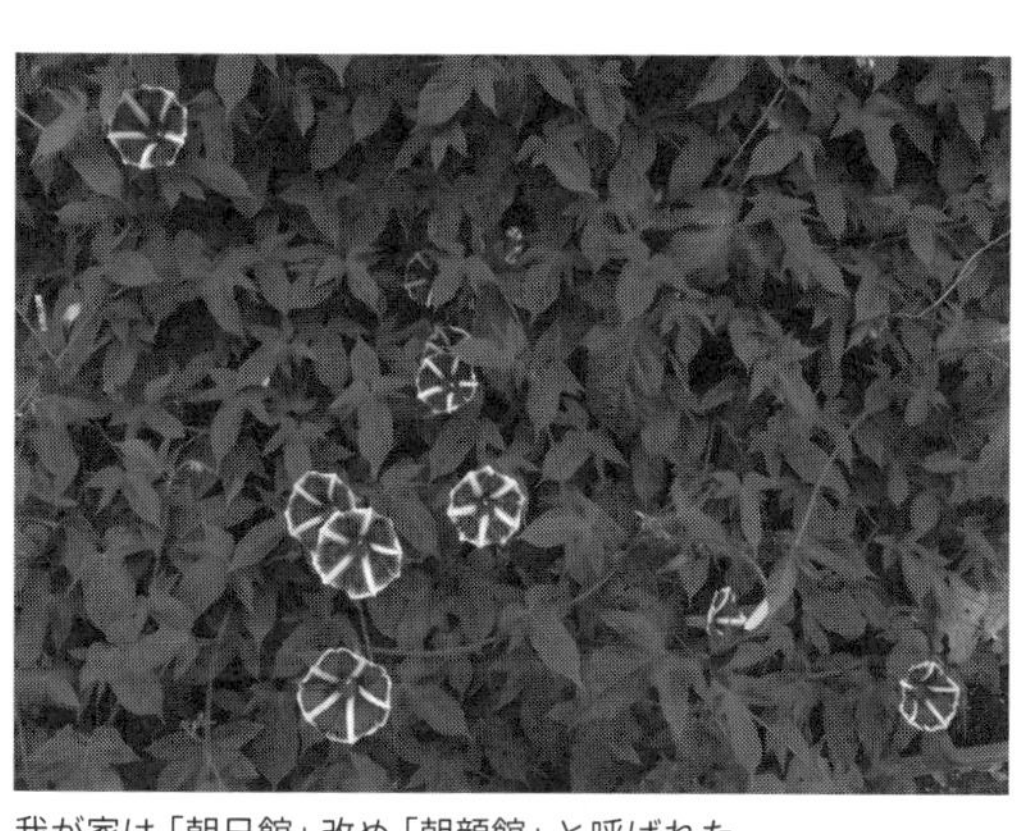

我が家は「朝日館」改め「朝顔館」と呼ばれた

仮設住宅で朝顔が咲いたと浅野さんにメールしたら、わざわざニューヨークから訪ねてきてくれた。旅館があった場所や被災した現場を案内した。彼は静かに私の説明を聞き、涙を流した。

津波は多くの物を奪っていった。娘の遺品はすべて流された。遺品もだが、墓地を襲った津波は墓石ごと遺骨まで持ち去った。最初のころは

「あぁ、あれも流された……。あれもなくなった……」

と嘆いた。けれど、朝顔の種が届いたことで気が付く。

「大事なものが残っている！」

私は大事なものを両手にしっかりと握りしめている。両手の中にまだ流されずに残っている。右手を開いてみるとそこには家族、そして左手には友人がいた。一番大事なものは掌からこぼれ落ちずにちゃんと残っていたのだ。
旅館も自宅も家財道具もすべてなくなっても、傍にいて日常を支えてくれる家族と、遠くにいて心を寄せてくれる友人。この二つが残っていたから立ち上がり、前を向くことができた。一歩前へ歩き出す支えになった。

あれから十年。今年も帰国種子の子孫を蒔いた。芽を出した朝顔。双葉の間から本葉が出たと思ったら、毎日するすると勢いよく蔓を伸ばしている。あっという間に支えの棒に巻き付く。今朝、水やりの時にみつけた。気の早いつぼみが一つ、蔓の間から頭を出しているのを。
ニューヨーク娘の子孫は、今年はいくつ花を咲かせるだろう。

［令和三年六月九日］

新地の昔話

早く連絡しなければと焦っていた。「私は生きているよ」と一刻も早く伝えたかったが、東日本大震災直後、しばらくは電話が繋がらなかったのだ。きっと尚ちゃんもどうしたらよいか迷っていることだろう。毎日、毎日、電話をして、十日後ぐらいにやっと繋がった。

「尚ちゃん！　私は生きているから。心配しないで本を作ってね」

「……みほりんさん……みほりんさん、生きていたんですね……良かった……良かった……。本はもう作り始めていますよ。みほりんさんが死ぬとは思えなかったから」

山内尚子さんは、受話器の向こうで私のハンドルネームを連呼しながら、泣きじゃくっていた。

「女将さん。新地の昔話を冊子にしませんか」と声を掛けてくれたのは、新地町生涯学習課の佐藤さんだ。

その頃、私には夢があった。宿泊客に昔話を聞いてもらいたい。宿泊客が、新地町に伝わる昔話を聞いたら、旅の良い思い出になるだろう。遠野市は昔話で町おこしをしている。まずは宿泊客の前で昔話を語りたい。いずれ新地町も昔話で町おこしが出来たらと、妄想した。ちょうどタイミングよく、公民館で昔話の講座が始まると聞く。早速申し込み、語り方の勉強を始めた。

講師は、福島県伊達市の川邉洋子先生。生徒は新地町に住む九名。昔話を覚えて語ることよりも、川邉先生の語りを聞くことが楽しみで、欠席することなく講座に参加した。四年目からは、公民館から独立して「新地語ってみっ会」というグループを作り、先生を中心に勉強を続けていた。そんな時に持ち上がった冊子作りの提案だった。

さっそく新地に伝わる昔話を調査する。荒保春さんという人が、新地の歴史や昔の生活などを聞き書きして、何冊も冊子を発行していた。その中には、多数の昔話も収録されている。新地町史という分厚い本にも昔話が収録されていた。調べてみると、長短はあるが、新地町には二百を超える昔話が残っている。その中から、自分の好きな話、語りたい話三十話を選んで、語りやすいように書き直した。聞いている人に物語が見えるように再話した。元々ある昔話を、誰にもわかるように書き直す作業を再話という。

東北地方は、昔話の宝庫である。どこに行ってもその町や村ならではの話が残っている。昔は、テレビもラジオも、携帯もなかった。子どもたちは、親が語る昔話を娯楽にして育った。干したタバコの葉のしわを伸ばす作業をしながら、囲炉裏端で草鞋や雪靴を作りながら、子どもに語って聞かせた昔話。人々は、語ることで単調な作業を飽きずに続けられた。また子どもの面倒を見られないほど忙しい時期には、語れば子どもは聞いているうちにおとなしく寝てくれる。子守りをしながら農繁期を乗り越える知恵でもあった。読み書きが出来ない人が多かった時代、語り継ぐことで村の歴史も残った。

福島県の会津地方には、餓死年（飢饉）の話も残る。とても厳しい時代を生き抜いてきたことが、昔話から想像できる。だが、新地の昔話には、悲惨な話があまりみつからなかった。争いごとの話も少ない。海が目の前にあり、山も近く、気候が温暖な新地は住みやすかったのかもしれない。豊かな自然の中で穏やかに生活し、人々は温厚だったのだろう。

いろいろ調べて一人で新地の昔話を新地弁で三一話書く作業を終えた。だが推敲になったら筆が止まった。私が書いた新地弁がいい加減なのだ。私の父は転勤族だった。書いているうちに、子どものころ使っていた岩手弁や秋田弁が、あちこちで顔を出す。直せば直すほど、それが本当に新地弁なのか、どこか別の土地の言葉なのかわからなくなる。新地生まれではない人間にとって、新地弁で書く文章は難しい。

私一人では限界があるので助っ人を頼んだ。「新地語ってみっ会」のメンバーである。物語はネイティブな人たちによって正確な新地弁に翻訳された。さらに、物語が生まれた場所の写真も掲載することになり、みんなで撮影に出かけた。冊子は私の名前ではなく「新地語ってみっ会」として発行することにした。するとメンバーから、せっかく作るのだから、費用を出し合って自費出版にしようという声が上がる。教育委員会の冊子は、発行部数が少ない。たくさん作って多くの人に読んでもらいたいというのだ。

さっそく尚ちゃんにメールをした。娘のようだと思っている彼女は「きれい・ねっと」という出版社の代表だ。SNSで知り合ってからずっと仲良くしている。冊子は六月に発行することになり、原稿は五月初旬までに送る約束をした。

年度末、年度初め、旅館の仕事は忙しい。歓送迎会や総会など多くの会合の打ち上げの予約が入る。春休み中は、旅行の宿泊客が増える。三月と四月は書き入れ時だ。忙しくなる前に原稿を送ろう。深い考えもなく三月初めに原稿と写真のデータを送った。

それからわずか数日後に東日本大震災が起きた。原稿と写真は私のパソコンにしか保存されていない。パソコンは、我が家と一緒に流された。パソコンだけではない。みんなで撮影したあの場所も、あの風景もすべて流された。かろうじて尚ちゃんの手元にだけ原稿と写真が残った。

私が生死不明では、出版に取り掛かったらよいかどうか、彼女も迷っているだろう。そのことばかりが気になる。やっと電話が繋がったら、私の生存を信じて、すでに印刷に取り掛かっているという。その気持ちがとても嬉しかった。

震災から二ヶ月後、移り住んだ仮設住宅に大きな段ボールが届いた。中には出来上がったばかりの『新地の昔話』が入っていた。避難所から仮設住宅に引っ越すタイミングを待って、送ってくれたのだ。中に入っていた手紙には、新地の皆様にお見舞いと書いてある。二百冊をプレゼントしてくれた。

なぜ、まだまだ時間があったのに、尚ちゃんに原稿を送ろうと思ったのか不思議でならない。まるで何かにせかされるかのように送った。おかげで奇跡ともいえる本が出来上がった。

この本を懐に入れて、語ってみっ会のメンバーと昔話を語って歩いた。仮設住宅や小学校などいろいろな場所で昔語りをして多くの人に喜ばれる。被災疲れの人たちは、先祖から伝わる昔話を、涙を流して聞いてくれた。失われた風景を思い出し懐かしんでくれた。


新地には津波にまつわる昔話も残っている。

内陸の「子鯨（こくじら）」という地名は、津波の時に小さな鯨が流れ着いたからと伝わる。

「舟輪沢（ふなわさわ）」という場所は、流されてきた舟がぐるぐると渦を巻いていた場所だという。

「地蔵森（じぞうもり）」という山は、津波に流されそうになったお地蔵様を舟に乗せたら、船頭もいないのに川上に向かって登っていき、とうとう山の中腹まで到着したので名付けられた。

「八千山（はっせんやま）」は、津波の時に大勢がここに避難して助かった場所だ。八千という数は、避難した人数ではなく大勢という意味らしい。

これらの昔話が語り継がれてきたという事は、過去にも新地に大津波が押し寄せていた証拠だ。だが、私たちはそれを単なる昔話としてしか、語ってこなかった。歴史として、事実として語ってこなかった。作り話と思って語ってきた。

もし、過去に起きた本当のことだと伝えていたなら、語っていたなら、大地震の時にもっと多くの人が逃げただろう。新地には津波が来ないとは思わず、避難したはずだ。そしたら大勢の命が助かった。事実ではなく、単なる昔話として語ってきたことが悔やまれる。東日本大震災の時に、津波は子鯨や舟輪沢まで到達し、真実を伝えていたことを証明した。昔話は奥が深い。先祖の生活や歴史、思想を知ることができる。悪いことをすれば不幸になり、良いことをすれば幸せになる。勧善懲悪の話は、子どもたちの道徳観を育てる。

「新地語ってみっ会」は、新地町の小川観海堂で毎月、語りの会を開催している。『新地の昔話』という本は、私たちの教科書だ。小学校での語りもずっと続けている。宿泊客の前で語ることはできなくなったが、いろいろな場所で新地の昔話を披露することが出来て、私の夢はかなった。

［令和四年四月十三日］

こころのリハビリ

「被災体験を話してくれないかしら?」

今田かおるさんから頼まれたのは、東日本大震災からわずか三ヶ月後のことだった。かおるさんは私のホームドクターだ。定期診察のために新地町から片道三時間かけて、彼女がいる猪苗代の医院まで毎月通っている。心から信頼を寄せているお医者さんだ。

福島県は広い。会津地方、福島市や郡山市がある中通り、いわきや相馬の浜通りと、山脈で縦に三地区に分断されている。津波の被害を受けたのは浜通りだ。福島第一原発の影響があったのは、浜通りと中通りだけだ。会津地方は津波の被害も、原発の被災もないのに、福島県というだけで他の地区と一緒に被災地扱いされ気の毒だった。

「会津の人たちは、津波のことを報道でしか知らないのよ。だから被災した人の口から直接その話を教えてほしい。もし嫌でなかったら話をしてくれないかしら?」

そう言われて向かった会津若松市の会場には、二百人ほどが待っていた。集まっているのは、医師、看護師、介護士だという。

最初は、かおるさんの終末医療の話。彼女は実家の病院で内科医をしながら、訪問医として終末医療に携わっている。病院ではなく自宅で最期を迎えたい人をサポートする、在宅看取りの活動だ。

彼女の後は、南相馬市小高病院長の遠藤清次さんだった。原発からわずか十八キロの場所にあった小高病院。彼は引き受けてくれる病院を探し出し、六十八名の患者を一人も死なせることなく引き渡した。原発事故で全員避難命令の混乱の中、人工呼吸器に繋がった重症者もいたというのに。患者一人一人にカルテはもちろん、その時に病院に残っていた治療薬や流動食まで付けて、いくつかの病院に搬送した。地震による停電で自家発電中、断水、さらに原発事故の不安の中での奮闘は凄まじい。被爆覚悟で病院に残った栄養士と数名の看護師と共に戦った。命に直結している医療現場は、話を聞くだけでも怖くて震えた。

遠藤さんの後は私の番だった。避難を渋った犬の話。おむすびのこと。息子との再会。

避難所の様子。次々と思いつくまま話をした。震災体験を他の人に話したのは、その時がはじめてだった。話をしてくれと頼まれたこともなかったし、自分から話そうとも思ったことがなかった。心に抱えていたものを語ったら、気持ちが少し軽くなっていることに気が付く。

話し終わったら一人の女性が近づいてきた。

「私が住んでいる町でも話をしてもらえませんか?」

突然の依頼だった。その町に出かけて行って話をした。さらにそれを聞いていた人から次の講演を頼まれた。

「子どもたちにも話を聞かせてください」

これがきっかけになり、次々と依頼が届いて私のスケジュール表は次第に埋まっていった。

ある日、福島県復興支援センターの所長の菅野さんという人が仮設に訪ねてきた。福島県は第一原発事故の影響で、観光客が激減している。県は、何とか交流人口を増やしたいと考えていた。他県の人たちに被災体験を語り、あわせて福島県の苦境を伝えてほしいというのだ。現実以上に被曝がクローズアップされ、苦戦している観光業の一助になるかもしれない。旅館を営んでいた者として、もがいている宿泊業界が他人事と思えなかった。マスコミの情報に惑わされないで、本当の福島の姿を知ってもらいたい。そのために少しでもお役に立つならと、喜んで引き受けた。

本格的な講演活動が始まった。北は北海道から南は大分県まで出かけた。県の出先機関の上海福島県事務所に招かれて上海にも行った。依頼があれば、断らずにどこにでも行った。大勢の人から支援を受けたおかげで生活できている。もしかしたら、聴衆の中にも支援者がいるかもしれない。そう思うと、どの会場でも感謝の言葉が口をついて出た。

被災体験を通して伝えたかったのは、ただ一つ。命を大事にしてほしいこと。

私は、小学校時代に津波の話を聞いて育ったので、躊躇なく避難した。そのおかげで命が助かった。私の被災体験を聞いたことが、将来の避難行動に繋がってほしい。一人でもいいから、頭の片隅に話が残って、いざという時に命が助かる行動になるようにと願って話をした。

「自分の命は自分で守りましょう。一人一人がそれぞれの命を守ったら、亡くなる人はでません。『避難しなさい』と言われたら迷わず避難しましょう。たとえそれが空振りに終わっても避難解除になるまで戻らないように」

岩手県で語り継がれている「津波てんでんこ」を伝えて歩いた。津波は、猛スピードで押し寄せてくる。避難には一刻の猶予もない。他人を気遣う暇などない。とにもかくにも、それぞれがてんでに避難すること。自分の命を守ること。そしたら死亡者が出ずに済むというのが津波てんでんこの教えだ。人間は忘れやすい。数十年後には東日本大震災も忘れられる。大地震の後には津波が来ることを忘れないでほしい。

新地町で亡くなった人のほとんどが、新地には津波が来ないと信じて避難しなかった人だ。四百年前にも今回と同規模の津波が来ているが、そのことが伝わっていなかったのだ。もし伝承されていたなら、どれだけの命が救われたかと思うと残念で仕方がない。被災体験を語ることが一番の防災になると信じて講演を続けた。その回数は五年で四百回を超えた。

埼玉県内の小学校を、日帰りで四校廻ったことがある。仙台空港からセントレア（中部国際空港）に飛び、名古屋市で講演し、さらに新幹線を乗り継いで大阪に行って話をした。

関西空港から大分に行き、大分市内を廻る。そこからまた名古屋に戻って話をし、長野に行き、埼玉で話をして福島市に戻り、そして東京にとんぼ返り。やっと新地に帰るという、どさ廻りの旅芸人のような十日間の行程もあった。

有り難かったのは、どこに行っても温かく迎えてもらえたこと。講演後には、多くの人が優しい言葉をかけてくれたこと。その中には今もずっと交流を続けている人も大勢いる。忙しく出歩いたことで私自身も救われた。行く先々で励まされる。多くの人が応援していることを肌で感じる。何よりもスケジュールが一杯で、嫌なことを思い出す暇がなかった事がありがたい。嬉々として出かける私を「我が家の出た切り老人」と夫は呼ぶ。知らない土地を訪ねるのは、好奇心旺盛の私にはとても楽しかった。

先日、遠藤清次さんの記事を読んだ。

「震災後に鬱になり、ふさぎ込んで無気力になっていた私を、今田かおる先生が、とにかくあなたは、震災体験を話さないといけないと何度も外に連れ出し、大勢の前で話をさせてくれました。体験を話しているうちに、少しずつ気力がみなぎってくることに気が付いたのです」

話すことや書くことは、心の裡(うち)を吐き出させる。溜まってしまってどうにもならない気持ちを外に出すと、心が少しだけ軽くなる。吐き出した分、気持ちに余裕ができる。それがこころのリハビリになった。

彼は元気になり、患者に請われて元住んでいた南相馬市に戻って診療所を開業した。今も多くの患者に慕われて診察を続けている。

あの頃、遠藤さんと私は鬱々とした日々を送っていた。そんな二人に、大勢の人の前で話をさせたかおるさん。二人とも元気になれたのは、彼女の策略にまんまとはまったからか。いやいや、かおるさんが名医だったからだ。心から感謝をしている。

［令和四年四月二十七日］

徳川篤姫様のお屋敷

講演の依頼があった。曹洞宗大本山総持寺からである。NHKの「きらり！　えん旅」という番組で震災紙芝居を読んだ。そのテレビを見た貫主が「ぜひあの人を」と言ってくださり、講演の依頼がきたのだ。震災の四年後の平成二十七年三月に行われた「曹洞宗　東日本大震災大供養」への参加が決まった。たまたま撮影場所が、新地町の龍昌寺という曹洞宗のお寺だったので、番組を見てくれたのかもしれない。飛び上るほど嬉しかった。

「我が家も曹洞宗です。本山に行きたかったのでお

龍昌寺で紙芝居の撮影をした

伺いします。あの……主人も一緒に行っても良いですか？」

「はい、ぜひ、ご夫婦でお参りください。前日の午後からリハーサルをします。宿泊所も用意いたしますので、前日の十三時までにおいでください」

私の他に郡山市にある安積黎明高校合唱部の参加も決まっているという。この合唱部は、全国コンクールで何度も優勝している。


総持寺は、横浜市にある。鶴見駅を降りるとすぐに伽藍の大きな屋根が見える。タクシーに乗るまでもないと歩いた。歩いてみると、これがなかなか遠いのである。なにせ境内は十六万坪もあるそうだ。敷地に隣接して鶴見大学があった。ここも総持寺の関連の大学だ。それにしても広い。やっと玄関に到着して案内を乞う。すると一人の修行僧が呼ばれた。その若いお坊さんが、二日間ずっと私たちの世話をしてくれるという。

「朝日館さん。僕は法輪寺の息子です。新地町からというので僕がお世話をすることになりました」

法輪寺は、新地町駒ヶ嶺にあるお寺だ。彼は入山して三年目だという。

教えてくれれば、案内されなくても泊る部屋まで行けるのにと思った私は甘かった。長い廊下を歩き、角を曲がり、長い廊下を歩き、また角を曲がり……。何度も角を曲がる。案内を断らなくて良かった。もし案内がいなかったら広いお寺の中で迷子になった。

通された部屋の入口には「待鳳館」と書いてあった。

「この建物は、元々は尾張徳川家の書院なんです。それをここに移築しました。大河ドラマのあの篤姫様が最後に生活したのがこの建物です。国登録の有形文化財になっています。ここは総持寺の迎賓館です。普通の人は宿泊できないんですよ。特別なお客様だけです。ここに宿泊出来て良かったですね」

えっ！　えっ！　篤姫様のお屋敷！　驚きすぎて足が前に出ない。私たちが使うのは、一部屋ではなく、離れになっているお屋敷一棟まるごとだ。お部屋が二間続きになっている。床の間には、読めないような立派な字でなにやら書いた掛け軸が下がっている。長押の釘隠しには、三つ葉葵の徳川のご紋。障子の外は廊下で、ガラス戸がある。

「みっこ！　見ろ！　見ろ！　ギヤマンだ」

と夫が興奮して騒ぐ。はめ込まれたガラスを横から見ると波打っている。昔の手作りのガラスだ。夫が昔のガラスと言わないで「ギヤマン」と言ったので、法輪寺の息子さんが下を向いて必死に笑いをこらえている。

二人きりになって最初に出たのはため息だった。国の有形文化財に泊まるなんて……。篤姫様のお家敷だなんて……。緊張がほぐれない。ゴロンと寝転がる気にもなれず、テーブルをはさんで向かい合って座った。そしてまるでお見合いのように、かしこまって二人でお茶を飲んだ。

少し休んだ後でお寺の中を案内してもらう。敷地内には、いくつもの仏閣がある。

「いつもは裸足なのですが、今日はお客様の前に出るからと足袋を履くことを許されました。嬉しいです。実はヒビが切れていて足は悲惨な状態なのです」

彼はちょっと嬉しそうに言った。

総持寺では、その場を清めることは自分を清めることと同じだとの教えがあって、どこもピカピカに磨かれている。百間廊下と呼ばれている長い廊下も、ワックスを塗ったように光っている。もちろんワックスなど使わず雑巾だけで磨いてこの美しさだ。お掃除をさぼってばかりいる私は恥ずかしくなって、うつむきながらピカピカの廊下を歩いた。

一般の人が入れないところも案内してもらった。座禅堂は、一人に畳半畳が与えられ、壁に向かって座りひたすら座禅を組む修行の場。寝る場所は、禅堂の中の畳一畳が一人分だ。そこに掛け布団を柏餅のように半分に折り、挟まって寝る。足元はひもで縛って足が出ないようにするのだそうだ。まるで避難所並みの狭さだ。修行僧たちは、まさに起きて半畳、寝て一畳を実践しているわけだ。

曹洞宗の修業は二つある。一つは「只管打座（しかんたざ）」ひたすら座禅をする。二つ目は「威儀即仏法（いぎそくぶっぽう）」日常が修行という教えで、すべての所作が細々と決められている。顔を洗う、歯を磨く、掃除する、食事をする、箸の置き方に至るまで、細かい作法がある。決められた通りに寸分違わず生活するのが修行なのだ。

最初の一年は、お経と作法を覚えることに必死で、法衣一枚に裸足の生活でも、暑さも寒さも辛さも感じなかったという。二年目になって慣れて余裕が出てくると、暑さや寒さを感じて辛くなる。それは被災した者と同じだ。最初の頃は夢中で辛さなど感じなかった。月日が経ち生活が落ち着いてきたら、今まで感じなかった辛さを感じるようになった。本来なら復興とともに元気になるはずが、反対に鬱になる人が出てきている。お坊さんたちは、ひたすら座禅を組むことで、自分を無にして辛さを乗り越えるそうだ。私たちにも、座禅に代わる何かが必要なのかもしれない。

その日は、三月とはいえ寒い日だった。部屋にはガスストーブとエアコンがある。両方使っても寒い。なにしろ明治初期の建物だ。ガラスがはめ込まれた板戸には隙間がある。腰板が長い年月で乾燥し縮んだのだろう。障子も同じだ。風が吹くたびにガラス戸はガタガタと、障子もパタパタと音を立てる。どこからともなく隙間風が入って来る。エアコンの設定温度を上げても寒い。仕方なく、コートを着たまま夕ご飯の案内を待った。長い廊下を曲がって、曲がって、曲がってやっと食事の会場に着いた。法輪寺の息子さんがいなかったら、食堂にたどり着けなかった。夕ご飯にありつけなかったことだろう。

そこは安積黎明高校の生徒が泊まっている「三松閣」という建物の食堂だった。三松閣は一見すると切妻造りの仏閣風だが、中は鉄筋コンクリート地上四階、地下二階のホテルのような建物だ。ここはエアコンが効いていて、隙間風も吹かない。宿泊するなら有形文化財より、ここの方が良かったと思わないでもない。

寒くてありったけの布団をかけて下着も着込んで寝た。だが篤姫様のお屋敷だと思うと緊張でなかなか寝付けなかった。とろとろっと眠りに落ちてふと目が覚めると、足音がする。誰かが廊下を走っていく。一人ではなさそうだ。ヒタヒタヒタという複数の足音が気になる。時計を見るとまだ四時だ。それは修行僧が朝の準備をするために廊下を走る音だった。古い建物なので隙間風も外部の音も、自由勝手に通り抜けていく。

早朝の座禅のあと、六時からは朝のお勤めがある。私たちも参加した。二百人の修行僧の読経が、夜が明けたばかりの本堂の張りつめた空気を震わせる。手を合わせて祈る者の心と体に、声明が共鳴する。人間の声はなんと美しいのだろう。涙があふれて止まらない。

講演は鶴見大学の体育館で行った。二千人もの人が私の話を聞いてくれた。一般の人もいたが、お坊さんも多かった。舞台上から見た坊主頭がずらりと並んでいる光景は、なんだかクスリと笑えた。一晩泊めていただいたせいか、篤姫様がとても身近な人のように思われる。この大勢の人の中のどこかで、篤姫様が笑顔で見守ってくださっている気がした。

［令和四年五月十一日］

上海へ

福島県の出先機関である上海福島県事務所から招待が来た。東日本大震災の翌年のこと。三月十一日に震災の慰霊式をするので講演をしてほしいという。誰よりも好奇心旺盛で、「もの好きみっこちゃん」と呼ばれている私だ。海外行きを断るはずがない。むしろ大喜びで上海に行くことを承知した。

「俺は？　俺は？　俺も上海に行くから。海外に行くんだからカバン持ちが必要だべ」と強引に夫が付いてきた。私は招待なので交通費も滞在費も出してもらえる。だが、カバン持ちは自腹である。

その当時、常磐線は被災し線路が流されて、新地駅から亘理駅の間は代行バスだった。代行バスに乗り亘理駅に到着した。すると強風のため常磐線は不通だという。羽田まで行って飛行機に乗らなければならないのにと焦った。タクシーで新地にとんぼ返りをする。

すぐに仙台まで夫が車を飛ばしたが、予定の新幹線は既に出発していた。

本来なら郡山市でいったん下車し、福島県主催の出発セレモニーに参加する予定だった。もう間にあわない。電話で相談して、まっすぐに羽田に行くことにする。それでも上海行の飛行機に間に合うかどうかの瀬戸際だ。羽田に向かうモノレールの中でもハラハラした。時計ばかりが気になる。やっと羽田に着いた。それ！ 空港の中を走る、走る。ガラガラと大きな音をさせてスーツケースを引っ張りながら、なりふりかまわず走る。久しぶりの全力疾走。夫も必死だ。チェックインカウンターに到着したのは、荷物積み込みの締め切り時間ぎりぎりだった。とにかくなんとか間に合った。ゼイゼイと息も絶え絶えでチェックインをした。


初めての中国。上海。降り立った瞬間から緊張する。なぜならその頃の中国は、排日運動が激しかったのだ。日本製品の不買運動が起きていて、日本人が襲われたというニュースもあった。心配して出発したが、上海は静かだった。心配は杞憂に終わった。

夕食は上海事務所の職員がホテルに迎えに来てくれて、レストランまで車で直行した。

火鍋という全身から汗が噴き出すほど辛い鍋をご馳走になった。夕食後に夜景見物に出かけたが、ほんのちょっと公園を歩いた以外は、危険だからと車窓からの観光だった。上海は美しい町だ。高層ビルが並び、煌びやかなネオンが点滅している。ビルとビルの間にエキゾチックな寺院を見かける。

福島県上海事務所の人の話によると、中国では貧富の差が激しいという。高層ビルの上層階に住んでいる人たちは、多くの使用人を抱え裕福な暮らしをしているらしい。

「日本のお金持ちの何倍もの収入があると思いますよ」

資本主義の国ではないのに、貧富の差があるのはなぜだろう。

「中国は、共産主義社会ですが、経済に限って市場原理主義による資本主義体制をとっていますから。中でも特に上海は富裕層が多いです。上海の豊かさは世界でもトップレベルです」

一方で貧困層は、その日の食事にも事欠く。地方では人身売買もあるという。

福島県人会に入っている人の中で売り上げのトップは、郡山市出身のまだ四十代の女性なそうだ。彼女は高級エステサロンを経営している。その店を見たいと言って連れて行ってもらった。中まで入ることはできなかったが、入口から覗いてみた。落ち着いた雰囲気のロビー。お花が活けてある。シャンデリアも派手ではないけれどモダンなデザインだ。ここに来るマダムは、運転手付きの外車に乗り、お手伝いさんも一緒に付いて来る。上海では、ここの他に日本式のエステマッサージをする店がないので、とても繁盛しているという。値段も高くて普通の人はなかなか来ることができない。予約を取るのも大変だが、そのことが逆に上海や周辺のマダムたちのステータスになっているらしい。どんな女性なのだろう。中国でエステ店を成功させるには、きっと並大抵の経営努力ではないはず。頑張ってほしい。

翌日、東日本大震災の追悼式が開催された。会場の中に入ることができたのは、上海福島県人会の会員と家族。そして予約申し込みをした人だけだ。排日運動で何かあったら困ると事前に身元確認されたばかりでなく、入口でも厳重な身体検査があった。

来賓の上海日本国総領事からこんな話を聞いた。東日本大震災の翌日、領事館の前に行列ができていた。排日運動の抗議の人たちかと一瞬緊張した。だが並んでいる人たちは、募金の希望者だった。三百人以上が並んだらしい。急いで募金箱を用意する。募金者の列にどう見ても貧困者にしか見えない人たちも並んでいた。「その人たちは、その日の食事を一回我慢して募金してくれたのです。『日本が早く復興しますように』と言って募金してくれました」

総領事の目には涙があった。追悼式終了後、ホテルに帰る時に、たまたま裏通りを通った。そこは、掘っ立て小屋のような家やあちこち壊れているビルが並んでいた。小銭を握りしめて募金の列に並んでくれた人は、こんな地域に住んでいるのだろうか。総領事の涙を思い出す。

せっかく上海まで来たのに、あまり観光できなかったからと、わずかな時間を捻出して「豫園（よえん）」という所に連れて行ってもらった。庭園が美しい。明の時代の庭園だという。池のほとりには奇岩が並ぶ。庭に残る建物は、屋根の先がピンと上を向き、いか

エキゾチックな建物がある豫園

にも中国のエキゾチックな建物だ。ゆっくり見たかったが、せかされたのには理由があった。ここは小籠包の本場だという。食べさせたかったらしい。小籠包は絶品だった。その傍に「臭豆腐（しゅうとうふ）」という看板を見つけた。

臭豆腐と餃子

「臭豆腐は、日本で言えばクサヤのようなものです。食べた後しばらく口の中が臭いですよ」

という案内人の説明に、夫は最初から尻込みする。焼き餃子の方が良いと言う。私は食べてみたい。

皿に乗って出てきた臭豆腐は、厚揚げのような感じだ。周りがパリッと揚がっている。たれをかけて頬張る。思ったよりも臭わないが、味はそれほどでもない。仙台市の定義に三角油揚げという名物がある。あっちの方が数倍おいしい。臭豆腐を夫に勧めても頑なに首を横に振る。こういう時、好奇心が旺盛な人間は得をする。何の躊躇も偏見もなく、二度と食べることがないものを楽しむ。臭豆腐は私一人だけの思い出になった。

スーツケースをガラガラいわせて全力疾走した羽田空港。追悼式。総領事の募金の話。火鍋。夜景。豫園そして臭豆腐。いろいろな思い出がある上海。テレビのニュースに、コロナ感染防止のため都市封鎖をされている映像が流れた。上海市内はあちこちにバリケードが設置されて自由に出歩けない。ロックダウン生活は、想像以上に大変なようだ。エステ店を経営している女性はどうしているのだろう。上海福島県事務所の皆さんはお元気だろうか。無事に外出禁止の日々を乗り切ってほしい。そして、コロナが終息し、一刻も早く普通の日常が戻ることを願っている。

［令和四年五月二十五日］

目黒雅叙園で

震災後あちこちから講演を頼まれた。目黒ロータリークラブからも依頼が来た。夫は上海へ行ったのが楽しかったらしく、味をしめてその後も時々かばん持ちを希望する。

「そんな恰好で行くの？　もっときちんとした恰好してよ。せめてジャケットを着たら」

「なぁに、かまわねぇ。俺は被災者だぞ。きちんとした恰好の方がおかしいべ」

私の忠告を無視してジーパンにジャンパー姿での上京となった。

朝が早かったのでサンドイッチを買おうと駅中のコンビニに向かうと、後ろで声がする。

「あ、俺は牛タン弁当な。先にホームに行っているから」

常磐線から新幹線に乗り換えるのにわずかな時間しかなかった。大急ぎでサンドイッチと牛タン弁当を買ってホームに走った。あれ？　夫がいない。先に行ったはずなのだが姿がない。切符には「はやぶさ4号8号車」とある。まもなく新幹線が到着するのに、8号車と提示してある場所に夫がいない。あたりを探したら、遥か前方にジャンパー姿のおっさんがいた。手を振っても気が付かない。向こうは向こうでキョロキョロ探している。まもなく新幹線が来る。あそこまで走るか……。牛タン弁当をぶら下げてホームを走った。

「どこに並んでいるの！　8号車だよ！」

「なに？　4号車じゃないのか？」

「はやぶさ4号だけど乗るのは8号車！」

到着した新幹線の4号車に飛び乗って、車内を歩いて8号車まで移動した。まったくもう！先が思いやられる。あきれている私の横で、朝から牛タン弁当を頬張る人がいる。

先が思いやられる。それはまさに図星だった。目黒駅まで出迎えてくれた人の後をついていったら、講演の会場はあの目黒雅叙園だったのだ。一歩建物の中に入ってその雰囲気に圧倒される。華やかなロビー。着飾った人々。お上りさんの二人は豪華さに驚き、ぽかんと口が開く。私自身も目黒雅叙園が、こんなにもラグジュアリーなホテルだと知らなかった。私は講演者だからスーツ姿である。だが夫はジーパンにジャンパーだ。

「俺は……俺は、かばん持ちだからロビーにいるから。あんただけ行ってきな」

と、怖気づいている。だが主催者は
「いえいえ。ご主人の席も用意してありますからどうぞ、どうぞ」

と盛んに勧める。

「主人はこんな恰好ですから、ロビーで待たせますので」

と断っても、強引に会場に入れられてしまった。しかも、案内されたのは正面の真ん中のゲストテーブルだ。周りの人たちはといえば、男性は全員がスーツ姿だ。女性もワンピースやスーツの華やかな服装だ。和服の人もいる。周りの人に聞こえないように、小さな声で夫婦喧嘩が始まる。

「ほらごらんなさい。私の言うことを聞かないからこうなるのよ。まったくもう！」

「いやぁ……、こんな豪勢なホテルだと思わなかったから。あんたも恥ずかしいと思うけど、俺の方がもっと恥ずかしい……」

夫は額に汗をかいて小さくなっている。

後で知ったのだが、ロータリークラブの会員は、会社の社長が多いらしい。しかも、日黒ロータリークラブは、誰でも名前を知っている大会社の社長がほとんどだ。確かにどの人のスーツも、仕立てが良くて上品だ。それに引き換え……ついつい隣の人の顔を見てしまう。

講演は、もう何十回も経験済みだから、ドキドキもしなければ上がりもしない。第一、私はスーツだ。平常心で乗り切った。舞台の上から何度もジーパンの人を睨みつけたが、本人は気が付かなかったと思う。

その後、フルコースの食事が出た。夫はさっきまでの緊張がほぐれたのか、パクパクと食べている。食事の間に、いろいろな方がわざわざテーブルまで挨拶に来てくれた。話題はどうしても、東日本大震災のことになる。するとしゃべりたがりのかばん持ちが、講演者を差し置いてしゃしゃり出る。

「あぁ、あの時、まさか住んでいた町がすべて流されるとは思いませんでしたねぇ。私は、この人に強く言われて逃げたので助かりました。なぁ、あんたは命の恩人だよな」

「旅館ですか?　いや、もうやるつもりはないです」

すぐに会話に割り込んでくる。だがいつもなぜか、私ではなくかばん持ちの方にみんなが集まる。

「ゲストは私なのよ。少しの間黙っていてくれないかなぁ」

「俺がしゃべらなくなったら、『いよいよ死ぬんだなぁ』と思ってけろ（くれ）」

テーブルの下で向う脛を蹴飛ばしてやろうかと思った。

会の終盤、突然舞台の上に呼ばれた。

「村上さん、今一番欲しいものは何ですか？」

「そうですね、織り機でしょうか。支援でたくさんの着物を頂いたのですが、中には虫食い穴があるものや、色が褪せたり汚れたりしている物もあるのです。それらを細い紐に裂いて、裂き織をしたいです」

「じゃぁ、みんなで織り機をプレゼントしましょう」

と言って、織り機を買ってもまだ余るほどのお金を支援してくれた。

織り機を買った。そして残ったお金で仙台市の織物教室に二年通って、織り方をおぼえた。目黒ロータリークラブの皆さんのおかげである。織物は楽しい。今でも十分歳を取っているけれど、もっと歳を取って家に籠るようになったら、一番の趣味になる気がする。今は忙しくて落ち着いて織物をしている時間がない。やりたいことが多すぎるのだ。そのうちと思っている。

目黒雅叙園は、昭和初期の高級料亭を改築と増築し、結婚式場とホテルになっている。中に昭和十年に建てられた木造の百段階段という有形文化財が今も残る。階段の両側には七室の宴会場が当時のまま保存されている。階段はケヤキ材で造られ、宴会場もそれぞれが贅を尽くして建設された。床柱には、黒柿や北山杉、秋田杉などの銘木。天井画や襖絵は、鏑木清方、橋本静水、荒木十畝など日本画の巨匠が描いている。太宰治の小説の『佳日』に登場したり、映画『千と千尋の神隠』の湯屋のモデルになったのも頷ける。百段階段だけでなく、ホテルの方も煌やかだ。一か所だけだったが、トイレが壁も便器も金ピカだったのには驚いた。昭和の竜宮城と呼ばれる目黒雅叙園には、豪華絢爛という言葉は似合うけれど、どう考えてもジーパンにジャンパー姿は場違いだった。

［令和四年六月八日］

ダライ・ラマ十四世の教え

「郡山市にダライ・ラマが来るんですよ。講演を聞きに行きませんか」
とチケット二枚が手に入った。震災後半年過ぎて、気持ちが少し落ち込んでいた時だった。「ダライ・ラマ」という名前だけで気持ちが昂ってくる。元気になれそうと期待して夫と出かけた。

開場一時間前に着いたのに駐車場を探したので、入場したのは開演ぎりぎりだった。チケットに「駐車場がありません。公共機関でおいでください」と書いてあったのを見落としたのだ。席は最後列しか残っていなかった。舞台が遠い。幸い、大きなモニターがある。そこに映し出される映像で彼の表情を知ることができたが、肉眼では遠すぎて顔までは見えない。

ダライ・ラマ十四世は、前日に宮城県石巻市の海岸で、津波の犠牲者に般若心経をあげてきたという。この日は午前中に仙台市で、夜は東京で講演をする予定だ。だがどうしても福島に寄りたい、福島の人たちにぜひ伝えたいことがあると、わざわざ時間を作って郡山市で途中下車をした。

会場には二千人が集まった。遥か向こうにダライ・ラマが座っている。彼は英語で話し、それに同時通訳が付いた。会場の半分ぐらいは、彼の英語を聞いただけで笑う。英語がわからない私たちは「なに？ なに？ 何と言ったの？」と無言で周囲を見まわし、通訳された日本語でやっと笑う。ダライ・ラマという人は、快活でユーモアあふれる人だった。あぁ、もっと英語をしっかり勉強すればよかったと、今更ながら後悔する。

舞台の上で椅子に座った彼は、アスリートかと思うほどガッチリした肉体の持ち主だ。ラグビー選手のような体に、オレンジ色と黄色の法衣を纏っている。日に焼けたたくましい顔。そして頭にはなぜかサンバイザー。

「福島の皆さんの顔を見たくて来ました。けれどスポットライトが上から照らすので、まぶしくて皆さんの顔が良く見えません。サンバイザーをかぶりました。これで皆さんの顔が良く見えるようになりました。サンバイザーをかぶる失礼を許してください」

二時間、休みなく彼は話をした。時に立ち上がり、舞台を歩き回り、大きなゼスチャー。

エネルギッシュでユーモアあふれる話に引き込まれる。話すことに夢中になり、訳すには長すぎると通訳者に何度も止められる。そのたびに両手を広げ、首をすくめて「叱られちゃった」というようなお茶目な表情と動作をして会場を笑わせた。録音録画は禁止というので、私は必死にメモを取った。一言一句聞き漏らしたくなかったからだ。そう思うほど、ダライ・ラマの話は心に残った。以下に私のメモから講演内容を書いてみたい。

『苦しみを乗り越え困難に打ち勝つ力～地震・津波・放射能被害に苦しむ福島の人たちのために』

亡命し、難民として五十七年間生きて来た。そのおかげで世界中の異なった考え方の人と出会えた。天災は別として、ほとんどの苦悩は人間が自らの手で作り出したものなのだ。それが大きな問題となるのは、現実に対する認識が不十分だからだ。物事は全体的に認識しないとならない。視野を広げ正しい現実を知るべきだ。そのために重要なのは教育だ。

人間は、物質的・技術的・外面的には進歩した。一方で心の資質を高めることや、教育を通して内的世界を高めることをなおざりにしてきた。人間として一番大切にしなければ

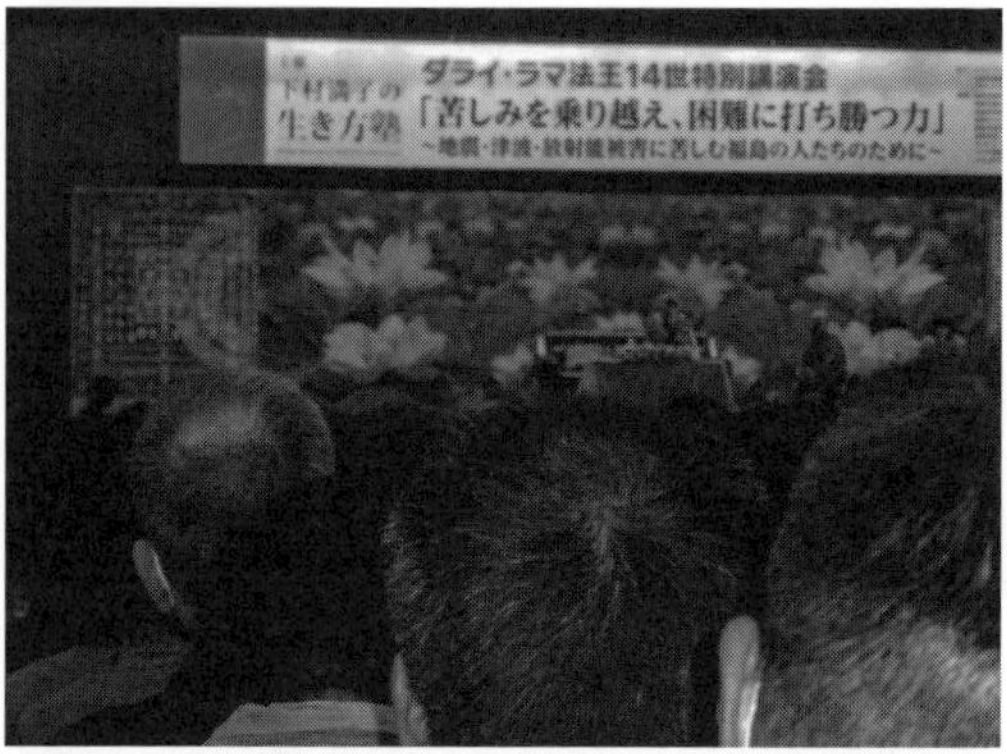

舞台のダライ・ラマは遠かった

ならないのは、やさしさと思いやりだ。知識・教養・脳の活性化のみを考えていれば良いのではない。他の生命あるものの痛みをわかり、思いやりを持つことこそ大事なのだ。

心が正しければ、自ずと行動も正しくなる。どの宗教もつきつめていけば『愛と慈悲』を説いている。宗教の根本はどの宗教も同じなのだ。愛と慈悲の心で他者を助け、社会に貢献しろと教えている。愛と慈悲を持ち、さらに体を健康に保つ。そして心の平和に努める。それが家庭の平和につながり、社会平和になり、やがては世界平和につながるのだ。そのためにも教育は大事だ。教育を通して平和な心を高めていこう。物質的に恵まれても心が満たされない人を私は大勢知っている。物やお金で心の平和は得られない。自分自身で心の資質を高めて初めて、心の平和にたどり着く。

福島の人たちは、今大変な困難に立ち向かっている。今まで経験したことがないほどの大きな困難であっても、精神力があれば乗り越えられる。悲しみを力に変えられる。そのためには、精神を奮い立たせて楽観的に立ち向かうことが一番大事だ。

例えどんなに悲観的な状況でも、穏やかな心で自信を持って全体にアプローチしてゆけば解決につながる。悲観的な気持ちでいると免疫力が低下し、病気になる。免疫系がしっかりしていれば、肉体的な健康は守られる。健康な肉体は精神を支える。精神が乱れていたら些細な問題すら耐えられないだろう。私たちは社会的な動物だ。全員が人間社会にいるのだ。だから知性を使って苦しんでいる人を救わなければならない。

福島の皆さんに言いたい。あなたは一人ではない。世界中すべての人が、あなたと一緒にいると思ってほしい。一人ではないのだ。みんな一緒にいるのだ。

私はわずか四歳で家族の許を離れてダライ・ラマになった。母は私の人生の核になっている。母からもらった心の温かさと慈悲の心が、楽観的に生きる内なる強さの根本になっている。

本当の思いやりの心を持つことで最初に恩恵を受けるのは、自分自身だ。誰でもないのだ。心が温かい人は、物事を肯定的に、しかも偏らず見ることができるために、自ずと自信と決断力が出る。世界七十億の人類の一人一人が、何かしら不安を抱えて暮らしている。不安なのはあなただけでない。誰でもそうなのだ。心配しないでほしい。大丈夫だ。楽観的になろう。あなたはもうこれ以上心配する必要はない。楽しく生きて行こう。Don't worry!

以上が講演の概要になる。新幹線の出発時間だからと促され、彼はマイクを置くとすぐに会場を後にした。見えなくなるまで、振り返り、振り返り、大きく両手を振って

「Don't worry!　Don't worry!」

と、呼びかけながら帰っていった。

彼の存在は一人の宗教家というより、世界中の人々の精神的な支柱になっている。その講演は、原発事故の不安で空いた私の心の穴に、まるでジ

講演するダライ・ラマ14世はモニターで見た

グソーパズルの最後のピースのようにピタリと収まった。

人生は一度きりだ。私の人生は誰のものでもない。だから自分の責任で最後まで楽しく生きて行こうと思った。その日の朝までのウジウジしていた気持ちがいつの間にか消えて、心が晴れ晴れとしている。

「楽観的に生きなさい」というダライ・ラマ十四世の教えは、今も私の大きな支えになっている。

世界平和のために献身的な活動をしている彼は、とても偉大だがチャーミングな人でもあった。

［令和四年六月二十二日］

狼の天井絵

和歌山大学の加藤久美先生から「狼の天井絵」の話を聞いたのは平成三十年の夏だった。加藤先生の話を聞いて、私の心が騒いだ。行かなきゃ！　行かなきゃ！　狼に会いに！

ニホンオオカミ絶滅の謎を追って日本中を調査している加藤先生からこんな話を聞いた。福島県飯舘村の山津見神社に狼を描いた天井絵があると知り、カメラマンのサイモン・ワーンさんと福島駅から飯舘村に向かった。平成二十四年十二月のことである。道の左は霊山（りょうぜん）。まるで鉈（なた）で削ったような切り立った崖の不思議な山だ。霊山という名前も曰くありげに思う。山津見神社は霊山の麓にあった。

前日、神社に電話で問い合わせた。なぜならその時、飯舘村は福島第一原発事故の放射能汚染で、全村民が避難中だったからだ。誰も住んでいない飯舘村に行っても、天井絵を見るどころか狼の話を聞くこともできないと思ったのだ。電話対応した奥さんは、福島市に避難していて毎日宮司と二人で神社に通っているという。

「飯舘の人たちがいつでもお参りに来られるように準備するのが宮司の役目ですから。門は閉めないで毎日お参りの人を待っています。どうぞおいでください」

狼の天井絵は見事だった。明治三十年代に神社が再建された時に描かれた絵だという。四十五センチ四方の杉の板二百三十七枚に描かれた狼が、びっしりと格天井を埋め尽くす。子育てをする、草花の陰で眠る、滝に遊ぶ、月に向かって遠吠えする狼たち。親子、兄弟、夫婦、仲間、あるいは一匹で。狼の生き生きした姿は、まるで当時の飯舘村の人たちの姿そのものに見えた。サイモンさんが夢中で撮影をしていると、宮司の奥さんがそばに来て言う。

「だんだんに色あせてきてしまって……。雨漏りで変色をして消えそうな場所もあるので心配です」

「それなら一枚ずつ記録の写真を撮りましょうか」

と加藤先生は応えた。誰も住んでいない村なのに、それでも地域を守っているご夫婦に少しでも協力したいと思った。さっそく一枚ずつ記録用の写真を撮ることになった。

翌年二月に、機材を持って再び神社を訪れた。一日目は、天井全体や神社の境内の様子など社殿の内外を撮影した。翌日は、一枚ごとに記録写真を撮った。その日は早朝に雪が降った。積もった雪は外の光を反射してまるでレフ板のような役割をする。ライトも用意してあったが、より自然な光で撮りたかったサイモンさんは、フラッシュさえも使用せず、柔らかい自然光の中で撮影をした。すると杉板の木目まで浮き上がって見えるすばらしい写真が撮れた。寒い部屋で天井を見上げ、時には冷たい床に寝転んでの撮影だった。

「私は、自分のイメージや考えを封印して、淡々と記録することだけに勤めました。芸術写真ではなく記録写真を撮るように心がけたのです。天井の狼たちをカメラに収めたら、天井から下りてきたこの何でもない、だが特別な狼たちがまた違う意味を持つのではないかと思ったから。その時は、まさか予想外の出来事が待っていると思っていませんでした」

サイモンさんは、そこまで言うとそっとため息をついた。

まさかの出来事が起きた。

撮影から二週間後、山津見神社は全焼したのだ。そして宮司の奥さんがその火災に巻き込まれて亡くなった。知らせを受けた加藤先生は、あの日の帰りぎわに、リンゴを持って車まで走ってきた奥さんを思いだした。

「このリンゴは福島のリンゴだけど、きちんと放射能測定をした安全なリンゴですから」と一箱を手渡されたのだ。その時の笑顔が忘れられない。

彼女は和歌山でずっと考えた。なぜ、全村避難中の山津見神社に、何かに駆り立てられるように行ったのだろう。宮司の奥さんの心配そうな表情に、少しでも力になればと記録撮影を申し出た。そして最後にわざわざ駐車場まで走ってきて、笑顔でリンゴをくれた奥さん。もうあの狼たちはすべてこの世から消え、サイモンさんのカメラの中にしか居ないのだ。加藤先生は、一連の出来事をとても不思議に思う。まるで誰かに仕組まれたような気持になる。仕組まれたとしたらいったい誰に？　その答えを探し続けた。そしてやっと一つの答えにたどり着いた。

あの無人の村は、山津見神社に守られていた。山津見神社は、村の中心だった。だから村の一番大事なものが消える前に、記録をさせられた。彼女たちは、誰かに選ばれてあの場所に立ったのだ。

再建された山津見神社

ならば、やるべきことは一つ。加藤先生はサイモンさんとプロジェクトを立ち上げた。「狼の天井絵復元プロジェクト」だ。福島県立美術館や東京芸術大学などの協力を得て、復元プロジェクトが動いた。一年かけて天井絵を描いた人を調べた。そして、新しい天井絵の描き手を探し、二十六名の東京芸大の大学院生の手によって、写真を元にした杉板への模写が始まった。二年かけて二百四十枚の狼の絵は見事に復元され、再建された山津見神社の天井に戻った。氏子総代と一緒に奉納した日は、八月十一日で山の日だった。

夫と神社を目指したのは話を聞いてから間もない八月末だった。飯舘村に入ると左に行けとカーナビが言う。だが左は道路工事中で通行止めだ。工事をしている人に廻り道を聞いて神社に向かった。しかし教えてもらった道も工事で通行止めだった。大雨の被害で村内のいたるところで道路工事をしていた。カーナビは当てにならないと勘を頼りに走ってみると、まるで狐に化かされたかのように同じ場所に出る。同じ道を何度も通る。飯舘村は避難解除されたばかりで、周囲に人の姿はなく、誰かに聞くこともできない。やっと道の駅を見つけ、道を聞いている最中に携帯が鳴った。

「……みっこ……なんだか……具合が悪い……」

驚いて車に戻ってみると、夫はぐったりしている。顔色も悪い。

「何かの祟りかなぁ……」

と情けない顔でいう。スポーツ飲料と漬物で夫は熱中症から復活した。下車するのが面倒だと残り、おまけに炎天下でカークーラーを止めていたらしい。その日は行くのを諦めて引き返した。

狼が蘇った天井絵

「今日ではなく別の日においで」

と狼たちが言ったのかもしれない。

それから十日後、再び山津見神社を目指した。今度はあっけないほどすんなりと到着した。やっと恋焦がれた狼たちに出会えた。二百四十枚の天井絵は、どれとして同じものはない。狼たちは、座る、歩く、水を飲む、じゃれ合う。そこには命ある者の喜びがあふれていた。


狼はご眷属(けんぞく)様と呼ばれ、山の神様のお使いだと言われている。世の中に何か異変が起きた時、いち早く里に知らせに来るのが狼なそうだ。天災、火災、疫病から里を守ってくれるのが狼だという。一度は消えた狼たちが、再びこの世に現れた。

昔、人々は自然を怖れ、敬い、感謝しながら共存して生きていた。今は、自然を平気で破壊し、便利さを優先している。自然への畏敬の念が薄くなったことへの警告として、山津見神社の天井に再び狼が現れた気がしてならない。

私は信仰心の薄い人間だ。だが、この狼の天井絵のいきさつには、偶然という言葉で片付けられない何かを感じる。導かれるように加藤先生とサイモンさんが全村避難中の飯舘村を訪ねたことも、宮司の奥さんに記録用の写真を申し出たことも、その朝に雪が降ったこと、そのあとで起きた不幸な出来ごとでさえ、なにか大きな力が働いたと思う。
狼は大神だという。避難解除になって四年が経つ飯舘村。村民は震災前の三割ほどしか戻っていない。天井の狼たちは、この村に平穏な生活が戻るまで、いや、その先もずっと人々を見守ってくれることだろう。

［令和三年七月二十八日］

無念

一本の紙芝居が私の手元に届いたのが、そもそもの始まりだった。東日本大震災の翌年、平成二十四年の春のことである。

送ってくれたのは「東北街物語紙芝居化一〇〇本プロジェクト」という長い名前の団体だ。住所は広島市。紙芝居と一緒に入っていた手紙には

「長年、放射能に苦しめられてきた広島市民が、現在、放射能で苦しんでいる福島県の皆さんに何か応援できることはないかと考えました。そして原発事故で故郷に住むことができない皆さんに、故郷に伝わる民話の紙芝居をお届けすることにしました。故郷に伝わる民話の紙芝居で故郷を思い出し元気を出してください。これからもたくさんの紙芝居を作って送ります。頑張ってください」

と書いてあった。

届いたのは、新地町に伝わる昔話の紙芝居だった。新地町のシンボルの山、鹿狼山（かろうさん）の仙人の話だ。続けて二作目、三作目と紙芝居が届いた。いずれも新地町に伝わる昔話だ。紙芝居は、新地町だけでなく、福島県内の津波被災地や原発避難地にも続々と届いた。二、三年の間に福島県内各地に届いた紙芝居は、七十本を超えた。さらにもっと送りたいから昔話を教えてほしいという手紙まできた。

手紙の返事を書きながら、ふと被災体験を紙芝居にしたらどうだろうと思いついた。紙芝居にしておけば、東日本大震災のことを永久に伝承できる。語り継いでいくことで東日本大震災の風化が防げる。伝えていくことは、防災にも繋がるはずだ。広島の皆さんと相談して震災の紙芝居を作ることになった。さっそく新地町の漁師を主人公にした「命の次に大事なもの」というシナリオを書き、紙芝居にしてもらった。すると他の市町村からも

「ぜひうちの町の震災の話も紙芝居にしてもらいたい」

と、続々と依頼が届いたという。こうして五年もすると、震災の紙芝居が七、八十本出来上がった。広島市民から福島県内に届いた紙芝居は、民話の紙芝居も入れると合計百五十本以上になった。「東北街物語紙芝居化一〇〇本プロジェクト」という名前以上の本数が

届いたことになる。

ある日、広島から
「紙芝居ではなくアニメを作りませんか？」

という提案が来た。最初に「命の次に大事なもの」がアニメになった。夫が主人公の漁師の声を担当し、ナレーションは私が勤めた。これが想像以上の良い出来だったので、監督のいくまさ鉄平さんが「無念」と言う紙芝居もアニメにすると言い出した。「命の次に大事なもの」より、もっと本格的なアニメ作品に作り上げて劇場でも上映するという。

しばらくして「無念」の動画が完成して、絵に合わせてアフレコをすることになった。福島県各地で紙芝居活動をしている人たちが呼びかけられた。それに応えて総勢二十二名が福島市のスタジオに集まった。初めて会ったと思えないほどすぐに打ち解けて、和気藹々とした雰囲気の中で録音が始まる。


あらすじは次のとおりである。

あの日、大地震に続いて大津波が襲った。すぐに消防団員は救助のために浜に向かう。

流された人を探し、倒壊した家屋の下になった人を救出した。その時、瓦礫の中からうめき声が聞こえた。姿は見えないけれど確かにこの下に誰かがいる。

「待ってろよ！　重機を持ってきて助けてやるからな」

と町役場に戻ったら、原発事故の第一報が届いた。原発から半径三キロ以内が立ち入り禁止だという。あそこに救助を待っている人がいるのに、現場に向かうのを止められる。そしてまもなく浪江町の全町民に避難命令が出されたのだ。救助に向かわず今すぐに避難しろというのだ。

行く先も示されないままの避難が始まった。どこの自治体も放射能汚染を恐れて受け入れるのを渋った。行く当てもなくさまよった人たち。その間もあそこに助けを待っている人がいるのに見捨て、自分だけ避難してきたという罪悪感に苦しめられる。この先どうなるのかという不安を抱えての逃避行だった。

主人公の消防団員の声は、俳優の大地康雄さんがボランティアで引き受けてくれた。準主役の消防団員は、経験者ということで夫に白羽の矢が立った。放射能を恐れてせっかく作った野菜を誰も食べてくれない。捨てるしかなかった農家は、同じようにやるせない思いを抱えていた農家の人が担当。突然大勢避難してきたので存分な食料の確保ができず苦慮した町職員は、同じ思いをした町職員の人が担当。紙芝居の登場人物の声を、同じ立場だった人が担当したのだ。浪江町長の声は本人の馬場町長が引き受けた。ナレーションはラジオ福島の大和田アナウンサーだ。

リハーサルが始まった。大地さんと大和田さん以外は全員が素人。当然、声が上ずるしセリフは棒読み。緊張して声が出ない人もいる。すると大地さんが

「皆さんは素人だからうまくしゃべろうと思っても無理です。あの日、あの時、どんな気持ちでしたか？　思い出してみましょう。あの日の気持ちでセリフを言ってみてください」

とアドバイスした。たった一言で、セリフに感情移入がされて、劇的に良くなった。あの時の悔しかったことを思い出し、その怒りと悲しみをそのままセリフにぶつける。泣きながらセリフを言った人も多かった。

夫と二人の場面で大地さんが

「村上さん、このセリフは寝てしゃべりませんか？　私は俳優で声優ではないのです。

寝ている場面は寝てしゃべりましょうよ」
と床にごろりと寝転がる。夫もあわてて寝転んで二人の会話が収録された。立っている時と寝ている時では、声の出方が違う。たちまち臨場感が出る。プロの実力をまざまざと見せつけられた。馬場町長も
「このアニメは永久に残ります。だから正確な記録として残したい。このセリフはあの時私が言った言葉と微妙に違っています」
と、自らシナリオを書き直した。カットがかかった後で
「原発事故の時、県や国に問い合わせたのに、何も返事が来なかったんです。手元の放射能測定器の数値はどんどん上がっていくし、一号機に続いて三号機も水素爆発して一刻の猶予もなかった。私の一存で全町民に避難命令を出しました。苦渋の判断でした。いざとなったら私が全責任を取るつもりでした。あの時は町民の命が最優先だったのです」
と言った。町長もさぞ無念だったことだろう。助け出されたばあさまの声を担当する人がいないというので、急遽、私がばあさまの声を担当した。
原発事故から半年後に帰宅困難地域の浪江町に一時帰宅が許された。滞在時間は三時間、

一所帯二名までという条件付きだった。まだ線量が三十マイクロシーベルトある場所もあり、防護服を着ての帰宅である。戻ってみたら、金庫や家電などが盗まれていた。獣の足跡で家中が荒らされている。すぐに帰るつもりでおいて行ったネコが死んでいた。犬の行方はわからない。除染する必要があるので自宅から持ち出せるのは三つと決められた。位牌とアルバムともう一つ、なにを持ち出せばよいのだろう。選ぶのに苦慮した。

なぜこんな思いをしなければならないのか。自宅の庭も田んぼも畑も、背丈よりも高い雑草に占拠されている。あれほど帰りたいと思い焦がれたふるさとは、見るも無残な姿だった。原発避難した人たちは、そんなことを思い出しながらマイクの前に立ったのだ。

録音が進むにつれて最初の楽しい雰囲気が徐々に重苦しい空気に変わって行った。思い出したくないものが否応なしに蘇ってくる。マイクに向かってセリフを言う人も涙。スタジオの外でそれを聞いている人も涙。部屋中に悔しさと悲しさがどんどん充満していった。

アニメの最後に福島からのメッセージを入れることになった。そのメッセージを大地康雄さんが万感の思いを込めて読んでくれて、アニメは完成した。最後のカットがかかった時にはスタジオにいた全員が泣いていた。その涙には、アニメの完成の喜びと同時に、福島の現状を思う無念が混ざっている。

完成したアニメはあちこちで上映され、多くの人が見て泣いた。メディアでも大きく取り上げられ評判になった。

あの頃の福島にはいろいろな無念が渦巻いていた。いや、今だって同じだ。何よりも、胸をかきむしるほど無念だったのは、福島が「フクシマ」とカタカナ表記されたことだ。「フクシマ」ってどういうことなのかと悔しくて悲しくて腹が立った。自分のふるさとや住んでいる場所を、カタカナ表記された無念。ぶつけようがない苛立ち。腹立たしさ。この思いは福島に住んでいる者にしかわからないだろう。

アニメは完成したが、福島の無念は晴れていない。恨んでも悔やんでもこの現状は変わらない。十年という歳月はそんな思いを隅に押しやり、その心を占領するのは「仕方がない」というあきらめだ。福島第一原発の廃炉は遅々として進まない。だが無念が晴れるまで一歩一歩進んで行くしかないのだ。あきらめてはならないと思いなおす。

「智恵子抄」の中にある「福島の本当の空」を見ることができる日は、来るだろうか。福島の無念が晴れる日は来るだろうか。

［令和三年三月二十四日］

麻子ちゃんと里子

私には尊敬する友人が何人もいる。どの友人も
「すごいなぁ。世の中にはこんなすごい人がいるんだ」

と心からリスペクトできる人ばかりだ。

その中の一人が麻子ちゃんである。本名は吉成麻子という。年齢はたぶん四十代後半だと思う。彼女には社会人になったばかりの娘を先頭に、高校生の息子まで四人の子どもがいる。さらに小学校六年生から幼稚園の年少までの六人の里子を育てている。この事実を知ったら肝っ玉母さんを想像するかもしれない。だが実際の彼女は肝っ玉母さんというよりも、育ちの良さが感じられる優しくてほんわかした女性だ。

麻子ちゃんと最初に出会ったのは、新地町小川公園仮設の集会所だった。震災から二年ぐらい経った頃だった。この仮設住宅に住んでいた私は、近所の人を集めて編み物や手芸

の活動をしていた。そこへ手芸材料になる古着の着物をたくさん持ってきてくれたのが麻子ちゃんだった。

一緒に来たのは、二歳のるぅちゃんという女の子。おびえたような表情でにこりともしない。その子が、乳児院から預かった里子だと聞いて、その表情を納得した。

わが子でさえ育てるのは大変だ。それなのに里子とは。麻子ちゃんの足にしがみつき、上目使いに睨んでいる二歳の子。声をかけても返事をしないどころか笑いもしない。お菓子を渡すと無言でひったくるように受け取った。お礼も言わず、ずっと睨んでいる。生まれてから今日までのわずか二年の間。この子はどんな暮らしをしていたのか。ここまで心を閉ざしてしまった原因はなんだろう。るぅちゃんが過ごしてきた日々を思った。

「この子は、毎晩お布団に寝せても、朝になると玄関で寝ているの。私がどこかに行ってしまうと心配なんだと思う。玄関で見張っているのよ」

麻子ちゃんが、明るい声でさらりと言う。聞いている私の胸はいっぱいだ。抱きしめようと手を伸ばした私を、るぅちゃんはキッと鋭い目でにらんだ。大人は信用していない。そんな拒絶の目だった。

それからたびたび麻子ちゃん一行が仮設を訪れるようになった。最初はるぅちゃん一人だった里子は来るたびに増えていった。十人乗りのワゴン車は、いつも子どもたちが満載だ。乗っているのはわが子、里子だけでない。時には児童養護施設の子たちまでいた。

「この三人は兄弟なんだけど、別々の施設にいるの。春休みだからせめて兄弟で一緒にいたいんじゃないかと思ってね」

中学生の大きな子が乗っている。施設から連れ出すための外泊許可をもらうのが大変だったという。親類でないと許可が下りないのだ。叔父さんを探し出して委任状をもらい、やっと連れ出してきた。それでもその施設からは
「この子たちだけ特別な体験をさせると、ほかの子たちがひがむんですよねぇ」

と嫌味を言われたそうだ。

「施設から何を言われてもいいの。気になんかしてないわ。たとえ三日間でもこの子たちが兄弟で過ごす時間の方が大事だもの」

麻子ちゃんは朗らかだ。ちょうどお昼だったので皆で蕎麦屋に行った。

「何がいい？　何が食べたい？　遠慮しないで何でも好きなものを頼んでね」

と言ったのに、施設の子たちはメニューを見ているだけで注文しない。

「何が良いの？」

「……わからない……」

自分の食べたいものがわからないってどういうことだろう。最初はふざけているのかと思った。だが違っていた。施設の食堂にはメニューがない。出されたものを食べるしかない。学校給食も同じだ。この子たちは、メニューから選んだ経験がないのだ。メニューを渡されてもどうしたら良いかわからなかった。私はそっと廊下に出た。胸が痛くなってあふれた涙を子どもたちに見せたくなかったから。


それからも年に数回、麻子ちゃん一行は仮設にやってきた。十人乗りのワゴン車に乗っている人数は、毎回違った。まだ一歳にもなっていない赤ん坊が二人も乗っていたことがある。外国人の子どもがいたことも。母親が不法就労で取り調べ中のブラジル人の子どもだという。

「私、ブラジルの言葉を話せないから、ジェスチャー。それでなんとか通じるわ。この間、ブラジル人が経営しているレストランに連れて行って、ブラジルの言葉で話しかけてもらったけど通じなかった。もしかしたらブラジル人の母親から生まれたけど、どこか別な国で生活していたのかもね」

と相変わらず明るい顔で麻子ちゃんが言う。

乳児院や児童養護施設で暮らす子は、親が育てられない子だ。育てられない事情はいろいろ。母親が病気、それも長期入院だったりする。麻薬患者もいる。犯罪を起こしてしまい収監されていることもある。経済的な理由も多い。また、再婚するとか夜の商売に邪魔だとか、母親の勝手な事情もあるらしい。麻子ちゃんが預かっている子は、短い時は数日から数週間。長い子はるぅちゃんのように十年近くにもなる。

るぅちゃんは、何度も仮設に来ているうちにだんだん慣れてきた。一年も過ぎると私の姿を見つけて

「むらかみしゃーん！」

と駐車場からまっしぐらに走ってくるようになった。抱きしめても頭をなでても嫌がらなくなった。表情も来るたびにどんどん変わっていって、かわいらしい女の子になった。よく笑いよくしゃべる。私の膝の上から離れない。麻子ちゃんが愛情をいっぱいに育てた結果である。私も自分の孫のようでとてもかわいい。

そもそも麻子ちゃんが、何度も仮設に来た理由は、東日本大震災の支援のためだ。各地で必要なものを聞き、それを集めて持って来てくれていたのだ。子育てだけでも大変なのに、被災地支援までするというそのバイタリティに驚く。新地町だけでない。宮城県は気仙沼市、南三陸町、石巻市、岩沼市など。福島県は、新地町や相馬市、いわき市など。各地に支援のためにやってきた。その縁でそれぞれの地に麻子ファンができた。里子応援団ができた。昨年はコロナ騒動で一度も訪れることができなかったが、彼女が来るという連絡が入ると、各地の麻子ファンは首を長くして待っている。子どもたちの親類が各地にできたのだ。

預かる子たちは、親の都合でなかなか引き取ってもらえなかったり、反対に数日で連れ戻されたりする。別れのたびに彼女が願うこと。

「お母さん、上手に育ててね。困った時はいつでも相談に乗るよ。幸せに暮らしてね」

だが、なかなかうまくはいかない。施設から聞く話でいろいろな事情がわかったという。多くの母親もまた、不幸な子ども時代を過ごしてきていたのだ。ネグレクト、貧困、虐待などを体験した親が多いらしい。愛情をもらった経験がないと、愛情のある子育てが難しい。自分の子どもに愛情を与えるすべがわからない。母親からその子どもへと愛のない子育ての不幸な連鎖が生まれている。

彼女は数年前に自宅をファミリーホームにした。ファミリーホームとは個人の里親と児童養護施設の中間のような制度らしい。そうすることによって、個人の時よりも多くの子どもを預かることができるようになった。今預かっている子どもの中には障害のある子もいる。そして、ゆくゆくは、里子の親もファミリーホームで一緒に子育てに関わってもらいたいと望んでいる。愛情のある子育てを体験したら、親から子への悲しい連鎖を断ち切ることができるかもしれないと本気で考えている。

すごいなぁ！　私は彼女の活動に舌を巻く。あのほんわかとして、おおらかで優しい麻子ちゃんのどこにそんなバイタリティが潜んでいるのだろう。

「だってね、施設にたくさんの子どもがいるって知ってしまったんだもの。知ってしまったらやるしかないでしょう」

と笑う。何よりも気負わず、淡々と笑顔で子育てをしていることが一番すごい。

令和三年三月二十五日発売の『暮らしの手帖　一一号』に八ページにもわたって、麻子ちゃんの活動が紹介された。読みながら、この何十倍も彼女がすばらしい人だと私は知っていると、ちょっと自慢したくなった。この記事を読んだ六年生の里子が

「里親は足りないのか。大人になったら里親になりたいな」

とつぶやいたと嬉しい報告があった。この言葉こそが彼女への何よりの賞賛だと思う。

［令和三年四月十四日］

麻子ちゃんのお父さんから学んだこと

人間の死亡率は百パーセントだ。人間は必ず死ぬのだ。だが私たちは普段、自分が死ぬと思って生活していない。永遠に生きられると錯覚している。そう思わなければ、心穏やかに生活することはできないからだ。

けれど、たとえ目をそらしても、死がすぐそばにあることに変わりはない。東日本大震災の時、避難の判断が少し遅かったら私は死んでいた。死は遠いことではなく、すぐそばにあった。気が付かなかっただけだ。いや、気が付きたくなかったのかもしれない。

震災から数年後に吉成麻子ちゃんから一冊の本をもらった。小堀鴎一郎著『死を生きた人々　訪問診察医　355人の患者』という本だ。これは彼女のお父さんが訪問し、看取った患者355人の記録だ。

麻子ちゃんのお父さんは小堀鴎一郎さんという。東大付属病院や国立国際医療センターの外科医を経て、現在は埼玉県新座市の堀之内病院で訪問診察医として、八十三歳の今も終末医療に携わっている。その活躍は、時々メディアで取り上げられるので、小堀鴎一郎という名前を知っている人もいるかもしれない。

今の世の中、ほとんどの人は病院で最期を迎える。かつてのように自宅で亡くなる人は少ない。たとえ本人が自宅で穏やかに死にたいと願っても、具合が悪くなるとすぐに救急車で運ばれてしまう。自分の意向とは関係なく、体中に管を付けられて病院で亡くなる人がほとんどだ。さらにコロナ禍の昨今では、入院しても家族とは会えず、誰にも看取られることなく旅立つという悲しい現実が起きている。

自宅で家族に見守られて亡くなるのは理想だが、そのためには看護の人手がいる。夫婦共働きが多い世の中、誰かに面倒を看てもらうのは難しい。昔のように嫁が看るとは限らなくなっているからだ。その上、田舎では自宅で亡くなると

「病院にも連れて行かなかった。医者にも診せなかった」

と非難の対象になる可能性もある。だからどのように死ぬか考えることは、どのように生

きるか考えることだと小堀さんは言う。

彼は、国立国際医療センターを定年退職して堀之内病院に勤務するようになった時「今までは生かすための医療だった。これからは命を終えるための医療をしよう」と決心して訪問医療の道に入った。その活動は、「人生をしまう時間（とき）」というドキュメンタリー映画になっている。またＮＨＫの「クローズアップ現代」でも取り上げられた。

老いた親の年金をあてにして引きこもっている人が、終末期の親の看護をしていることもある。食べられなくなった親の胃ろうを看護師に学ぶ人がいる一方で、現実に耐えられなくて終末期の親を残して自ら命を終える人もいる。百人いれば百通りの看護がそこにはある。そして百通りの死がある。小堀さんは淡々と患者を診察治療し、その上、時には家族の悩みの相談にも乗る。患者の話し相手にもなる。食が細くなったと心配する家族に「食べたり飲んだりしないから死ぬのではなく、死ぬべき時が来たから飲んだり食べたりする必要がなくなったんだよ」

という。一見冷たい言葉に聞こえるが、これは本当のことなのだろう。娘が末期の時、同じようなことを担当医から言われたことがある。

「食べられなくなったからと点滴すると家族は安心します。だが患者には苦痛のこともあるのです。体に吸収できない水分は、胸水や腹水になって溜ります。胸水がたまると溺れたようになり呼吸が苦しい。腹水も苦しいです」

そう言われても、点滴をやめてくれとは言えなかった私。この本を読み終わった今なら、もう少し冷静に判断ができる気がする。

小堀さんは、必要以上に患者の日常に踏み込まず、かといって突き放すこともせず、温かい目で患者を見守っている。クリスチャンの彼だが、たとえ敬虔な信者でも、いや、司祭でも神父でも死ぬ時には怖いというらしい。神にすがっても恐怖は消えないという。死ぬ時に神様を頼りにできないのなら、あとは自分で何とかするしかない。覚悟をもって生き、そして死ぬ必要があるというのが彼の持論である。

小堀さんと養老孟司さんの対談集『死を受け入れること』が昨年出版された。ほぼ同時期に東京大学医学部を卒業した二人。小堀さんは、外科医になって命を生かす医学の道を歩む。一方の養老さんは、解剖医になって死者と向き合う。小堀さんの前には死に向って生きている人がいて、養老さんの前には生き抜いた人の死がある。生と死は正反対のように見えて、実は同じ方向を向いていることに気が付いた。この二つは表裏一体ではなく同じ線の上にあるらしい。だとすると、良く生きた先には、はたしてその人らしい良い死が待っているのだろうか？　そんな疑問に、その人らしい死などないと小堀さんはきっぱりという。死には正解などないのだと。死んだ瞬間がその人の死だ。死は自分で選ぶことなどできないと断言する。きっぱりと言い切る彼の言葉の強さは、多くの患者を看取った経験から来るのだろう。

もう一冊、昨年出版された本に糸井重里さんとの対談集がある。「いつか来る死」という本だ。糸井さんはコピーライターなので、使う言葉が面白く一気に読んだ。

「先がないと思うとピリッとするんですよ。覚悟や勇気が出ます。何でもはできないなら本当にやりたいことをやらなければ。そういう覚悟や勇気が出てきます」

「吉本隆明さんから学んだことがあります。ある日、『死は自分のものじゃないんですよ』

と言ってくれました。死は自分に属さない。命を所有物のようにして、死は決められない。世話を焼く人、死んでしまったら困る人など周りのいろいろな人の都合で死は決まるのだと」

養老さんとは違う、彼なりの死生観が読み取れて興味深かった。

東日本大震災の時、死は日常的にあった。毎日遺体が見つかり、来る日も来る日も、告別式が続いた。私は一瞬の判断で命が助かった。もしあの時、判断を間違っていたらと考えない日はなかった。あの日、私の人生は一度終わったのだ。今はおまけの人生だ。そう思うと、一日一日がとても愛おしい。きれいな夕焼けも満開の桜も目に映れば

「きれいだなぁ。あぁ、私は生きているから見ることができた。あの時死んでいたら、これを見ることができなかった」

と感動がこみ上げてきて涙が出る。悲しいことや腹が立つことでさえ

「生きているから悲しいのだ。腹が立つのだ。生きているってすごい。生きていることに感謝だ」

と思える。

コロナ禍の現在では死は以前よりもずっと身近だ。誰でもコロナに感染して死ぬ可能性があるのだ。だからと言って死に怯えて暮らしたくないとも考える。

小堀さんを知ったおかげで死生観が変わった。私は最後に

「あぁ、楽しかった！」

と言って生涯を終えることにした。そのために毎日を楽しく暮らすと決めた。死の瞬間は自分が描いている通りには決してならないと彼は言う。だとすれば、最後にこの言葉を言うことができない可能性が高い。それなら普段から

「私は『あぁ、楽しかった！』って言ってから死ぬって決めているから」

と公言しておこう。そうすれば、たとえ何も言えない状態でも、家族は私の思いを受け止めてくれるだろう。

麻子ちゃんのお父さんからも、麻子ちゃんからも人生の大切なことを学んだ。素晴らしい親子である。この二人を心から尊敬している。まさにこの親にしてこの子あり。

そして本からもう一つの事実を知った。なんと小堀さんは森鴎外の孫だったのだ。なる

ほどそれで鴎一郎という名前なのか。彼の母は小堀杏奴といって鴎外の次女だ。画家であり作家だった人だ。父は小堀四郎という洋画家。ともにパリに留学中に知り合って結婚したらしい。

ということは、麻子ちゃんはひ孫になるのか。

「麻子ちゃん！　あなた、森鴎外のひ孫だったの？　何も言わないから知らなかったわ」

「遠い先祖だし、私にはもう鴎外のＤＮＡは残っていないもの」

いやいや、ちゃんと遺伝しているから。残っているから。あなたのおおらかさや品の良さ、そして困っている人を見たら手を貸さずにはいられないその行動力。それは紛れもなく華麗なる森一族の血だと思うよ。

［令和三年四月二十八日］

黒子隊

震災から二年過ぎた頃から、仕事がみつかって仮設住宅から出勤する人が増えた。それまでは、勤め先が被災して仕事がない人が多かった。瓦礫の撤去などの他、普通の仕事でも人手不足が起きるようになった。世の中が少しずつ復興し始めたのだ。すると昼に仮設に残っているのは高齢者だけになる。このタイミングで自治会長がやめるという。新しい仕事が見つかったのだ。責任感もあり、みんなからの信頼も厚い彼。そしてなんと驚くことに、後任にと白羽の矢が立ったのが夫だった。

「みんな、知らないの？　うちの人は世話をされるタイプだよ。人の世話はできないよ」

「知ってるよ。てっちゃんは旅館のお坊ちゃまだもの。人の世話をする人でないことは、ここにいる全員が知っているよ。ほんでも（それでも）昼間に仮設に残っている男の人で一番若いんだもの、てっちゃんしかいないべ（いないでしょ）」

「えぇっ！　何もできなくてもいいの？　いい加減な人だよ」

「それも知ってるよ。何もできない人だって。『黒子隊』を作ったから大丈夫。てっちゃんを手伝う黒子隊だから」

こうして何もできない人が自治会長に就任し、サポートする黒子隊が結成された。黒子隊は二十人ほど。だいたいが五十代後半過ぎの男女だ。中には原発事故の影響で漁ができない若い漁師もいる。

黒子隊は、声をかけるとすぐに集まって来る。大騒ぎをしているが、揉めているわけではない。何か一言いいたい人の集団なのだ。自治会長も負けずに意見を言うが、ほとんど黒子隊に却下される。中でも女性軍には必ず言い負かされる。みんなが集まるとそれぞれがワイワイと好き勝手なことを言いあい、そしていつの間にか意見がまとまる。何とも不思議な集団だ。その上、全員のフットワークは軽い。支援物資の配布は手分けしてあっという間に終了するし、各戸への連絡もスムーズでとても助かった。

黒子隊が一番活躍したのは、平成二十五年（二〇一三年）八月の成田市ロータリークラブからの支援物資配布だった。里子を育てている吉成麻子ちゃんから声がかかったことから始まった大イベントの時だ。彼女は、成田市の隣の印西市に住んでいる。ある日メールが来た。

「美保子さん、成田市ロータリークラブが何か支援したいと言っているのだけれど、必要な物がありますか？　今一番に欲しい物は何ですか？」

衣類はすでに十分なぐらい支援してもらっていた。欲しいのは寝具、食器など。まもなくそれぞれの自宅が完成して仮設住宅から引っ越しをする。特に高齢者支援住宅は、一般住宅よりも一足早く完成する予定だ。住む家が出来上がっても中身がなにもない。寝具や台所用品がほしい。成田ロータリークラブにそれを支援してくれるようにと麻子ちゃんが橋渡しをしてくれた。そのかわり、成田市での被災の講演を依頼された。

会場の成田高校に行くと体育館に大勢の高校生が待っていた。成田市のロータリークラブの方たちも一緒だ。舞台の上には『あの震災を風化させない～今こそ支援を～』という大きな横断幕が下がっている。インターアクト年次大会だそうだ。その時に「インターアクト」という言葉を初めて聞いた。インターアクトとはロータリークラブが支援する団体だ。中高生がボランティア活動を通して、奉仕の精神と国際感覚を学ぶ活動しているワークショップだという。

体育館で震災の話をした。生徒は全員が成田高校生というわけではなく、成田市内の各高校から参加しているらしい。生徒の後ろには箱が山積みされている。成田市内の各ロータリークラブが集めた支援物資だ。ものすごい数の箱が集まっていた。

ロータリークラブの会員は、企業の社長がほとんどだ。しかも国際空港がある成田市は、大きい会社が多い。お歳暮やお中元などの贈答品を提供してくれた。箱入りだとかさばるので、中身を化粧箱から取り出して新聞紙でくるみ、段ボールに入れ替える。その作業を高校生がした。

一週間後、大型バスにいっぱいの支援物資を積んで、高校生とロータリークラブの人が総勢七名で仮設にやって来た。さっそく黒子隊が集められ、荷物は集会所に運び込まれる。支援物資は集会所に入りきれず、空室になっている仮設住宅にも運ばれた。翌日早朝から、通路に黒子隊の手で支援物資が並べられた。道路の両脇にびっしりと隙間なく並んだ食器類や寝具など。さながらお祭りの露店のようだ。新聞紙は取り除かれ、食器は一組ずつ重ねて並べた。九時から配布が始まる。通りは一方通行にして受付を設けた。一人三点まで無料でどれでも自由に持ち帰ることができる。子どもも人数に入れた。五人家族だと十五点もらえる。皆は受付に並んでいる時点ですでに興奮状態だ。先着順に番号札が配られ、決められた三十分の間に品定めする。通りはすでにいくつかの品物を両手に抱えて、残りは何をもらおうかと嬉しそうに右往左往する人でいっぱいだ。

「この皿、三枚で良いんだけど。三人家族だから三枚だけもらっていくから。残りは置いていく」

「これはたち吉のお皿だよ。一枚千円以上するよ。五枚持っていったら？　五枚一組で一点だよ」

「なに吉でも余計な皿はいらねぇ。邪魔になるだけだ。皿は三枚で良い。残りはいらねぇ」

割れた時のためにと説得して、強引に五枚を持ち帰ってもらった。二枚だけ残されても困るのだ。

「銀行名の入ったバスタオルではなくこっちを持っていったら？　ほら、ミッソーニだよ」

「こんな派手なのはいらねぇ。銀行のタオルの方が金持ちの気分になるべ。こっちをもらう」

成田市の大企業の贈答品だけあって、ブランドのものが多かった。だが、みんなはブランドのマグカップよりも、力士の名前が入った湯呑を喜ぶ。銀行名入りのバスタオルを持っていく。値段ではないのだ。品定めで仮設の通りは大騒ぎだった。どの人も両手にいっぱい品物を抱えてニコニコして帰っていった。午前中で大部分がなくなり、午後は、残ったものを何点でも自由に持ち帰ってもらい、一日ですべてがなくなった。黒子隊の人たちは、準備、受付、後片付けを手際よくこなした。

「いやぁ、面白かった。みんなに喜んで帰ってもらえてよかったよなぁ」

「○○さんのばあちゃんが、毛布三枚をかついで運んでいったのを見たか？　曲がった腰が伸びていた。驚いたなぁ」

「こういうのをお祭り騒ぎって言うんだべな。みんなニコニコしてたなぁ。満足した顔だった。良かった。良かった」

他人が喜ぶのをまるで自分のことのように喜んでいるのが、黒子隊のメンバーだ。

夫は、住民にあまり細かく指示しなかった。みんなが楽しく生活を送るには、規則はちょっとゆるいぐらいがちょうど良いと考えていたようだ。いい加減な自治会長は、かえってみんなの団結力を生んだ。それはそれで大成功だ。黒子隊と過ごした仮設での日々は、良い思い出でいっぱいだ。皆で温泉に行った。お花見もした。そのおかげで三年間を楽しく過ごすことができた。彼らとは集団移転した団地も一緒で、今でも仲がいい。

我が家の食器棚には、あの時に誰も持って行かなかった深川製磁の大皿がある。金で縁取られた藍色の皿に蘭の花模様という派手なこの皿を使うたび、仮設の通路で繰り広げられたあのお祭り騒ぎを懐かしく思い出す。高価なこの皿を普段使いにできるのは、あの時に支援してもらったからにほかならない。

［令和四年七月十三日］

第三章

最後の親孝行

新居

むかし、むかし。幼い子ども二人を抱えた夫婦がいた。朝から晩までせっせと稼いでも、喰うのがやっとの生活だ。ある日父親がぽっくりと亡くなった。母親一人では田んぼの仕事だけで精いっぱいで、畑まで手が回らず豆を植えることができなかった。九月になり名月にお供えする豆がないと相談された和尚が教える。

「どこの家の畑でもいいから、お供えするだけの豆をもらってこい。お前が苦労しているのはみんな知っている。困った時はお互い様だ。黙ってもらっても怒る人は、ここには誰もいない」

こうして他所の畑からもらって来た豆をお供えしたおかげで、無事に名月を迎えることができた。

これは新地町に伝わる「豆名月」という昔話だ。

この話の時代から二百年ぐらい後に東日本大震災が起きた。新地町の面積の五分の一が津波で被災した。二度と津波に襲われないようにと、被災した土地は災害危険区域に指定され、誰も住むことができなくなった。行政は高台移転のための代替え地を探したが、なかなか見つからない。そんな時に

「俺の山を切り崩せば相当数の家を建てられる。先祖伝来の山だげんと（だけど）、呉れっから。あそこにみんなの家を建ててもらったらどうだべ。困った時はお互い様だ」

という人が出てきた。すると、

「家を建てる土地を探しているって聞いた。もう年を取って耕せないからあの畑はいらない。あの畑を呉れてやるべ」

相談したわけでもないのに、数名の人から土地の提供の申し出があった。

「同じ町民として、困っている人を見過ごすわけにいかないべ。困った時はお互い様だ」

と異口同音に言う。

新地町には、豆名月の「困った時はお互い様」というやさしさが、二百年間消えること

なくずっと残っていたのだ。こうして、他の被災地が代替え地を見つけることに躍起になって奔走している時期に、新地町では被災者全員の土地が、たった一年ですんなりと見つかった。「復興のトップランナー　新地町」と新聞で大きく報道された。

「あなたに家の設計を頼むから今から考えておいてね」

建築家の石川久さんに電話をしたのは、被災から十日ほど経った避難所からだった。彼は、高校の同級生だ。仙台市で「アトリエシグマ」という設計事務所を経営している。彼の奥さんの英子さんとは、高校以来の親友だ。石川夫妻と私は同級生同士で長い付き合いになる。以前、朝日館を改築する時にも彼に設計をしてもらった。依頼して初めてその才能に驚いた。なんといってもセンスが良い。シックだが華やかさもある。外観だけではない。とても使い勝手の良い建物だった。津波に流されたのが惜しい自慢の旅館だった。

避難所から仮設住宅に移って二年後、災害危険区域に指定された我が家の土地は、国が固定資産税の公示価格の八割の値段で買い上げてくれた。この時ほど旅館をしていて良かったと思ったことはない。我が家の敷地は、普通の民家の何軒分も広い。さらにちょっと離れたところに五、六十台収容の駐車場があった。客送迎用のバスの車庫を作る時に、地目を雑種地から宅地に変更した。車庫の部分だけ変更すればいいのに、面倒くさいからと夫が全部を宅地に変更したのだ。おかげで毎年、固定資産税を支払う時期がくると、高額の税金をどうやって工面するか眠れなかった。資金のやりくりで胃がチクチクした。

「毎年、毎年、駐車場全部を宅地にしたことをあんたに責められてきたけど、ほら見ろ！俺は先見の明があったべ。宅地にしていたから駐車場も高く買ってもらえる」

ドヤ顔の人がいたが、それはご先祖様が土地を残してくれたからに他ならない。駐車場を雑種地ではなく、何倍も高い宅地の値段で買い上げてもらったおかげで、ローンを組まずに新居が建った。

「この予算内で家を建てて頂戴。これ以上は逆さにして振っても一銭もないからね。そのかわりすべてを石川さんに任せる。あなたが好きなように建てて良いから」

彼に全部任せる。そのことに一切不安はない。彼の才能を信じていた。

「朝日館！　大変だ！　現場に行ってみろ！　家の基礎が曲がっているぞ！」

地鎮祭から間もないころ、教えに来た人がいた。団地のあちこちで一斉に家が建てられている。自分の家を見に行ったら、私の家の土台が斜めにずれていることに気が付いたという。

「新地町のシンボルの鹿狼山(かろうさん)の方向に向けて、土地の境界線から十五度斜めに曲げます」

と報告されていたから、びっくりはしなかった。時々どのぐらい出来上がったか見学に行く。

「ここは何になるの？　どんな風になるの？」

「それは出来上がってからのお楽しみ」

という返事で、出来上がるまで自分の家がどんな家なのかわからず、完成が楽しみだった。


私の家族のことをよく知っている人の設計なので、出来上がった家はとても住みやすい。土台を十五度曲げたおかげで、どの部屋の窓からも鹿狼山が真正面に見える。朝日を浴びて輝く鹿狼山も、山の上の青空を真っ二つに分けて飛ぶ飛行機雲もよく見える。夕焼けの美しさは、まさにマジックアワーである。木造建築なのに屋上がある。屋上は船舶用の塗装が施されていて雨漏りしないようになっている。お風呂は、旅館を経営していた証にと陶器の湯船だ。温泉旅館のように湯口からお湯が流れ、全面の窓を開け放すと半露天風呂になる。庭を眺めながら入ると、ついつい長湯をしてしまう。リビングには、薪ストーブが置かれた。パチパチと木のはぜる音。微かな煙の香り。私の一番のお気に入りの場所だ。ストーブの上には時々、焼き芋やおでん、煮豆の鍋が乗る。車が七台停められる駐車場も気に入っている。多くの人が集まる我が家。駐車の心配がいらない。

東日本大震災の時、仏壇やクローゼットなど大きな家具が倒れてきて怖かった。それがトラウマになっている。彼は、その話を聞いてすべての家具を造り付けにしてくれた。ここで暮らすようになって七年が経つ。その間に住みにくいと感じたことは一度もない。気に入らない箇所もない。壁やカーテンの色まで、何もかもすべてを彼に任せて良かったとつくづく思う。

昨年、今年と震度六の大きな地震に見舞われ、家の壁がひどくダメージを受けた。十一年間に三度も自宅が被害を受けた。三度目となると揺れの恐怖を感じながらも「またか」と、どこか呆れている自分もいた。石川さんはすぐに飛んできて、その指示で家は元通りに修復できた。お気に入りの家に住めなくなったらと、眠れないほど心配したがそれは杞憂に終わった。

庭も彼の設計である。だが七年経って、それが徐々に夫の設計に代わってきている。いつの間にかクリスマスローズやツワブキが植えられ、食べたいからと柿やイチジク、ブドウ、タラノメが植えられた。アケビに至っては、蔓を伸ばしすぎてジャングルのようになっている。震災前は庭の雑草一本抜いたことがなかった人が、今は一日中、庭にいる。植えては枯らし、植えては枯らして、苗を買いに行くホームセンターの若いお姉さんとはすっかり仲良しだ。鳥もやって来る。スズメ、ツグミ、シジュウカラ、ウグイス、コゲラなど。たまにキジも見かける。

やさしいおじいさんは、毎日せっせと餌付けをしている。パンやリンゴをわざわざ買ってきてはエサ台に乗せてやる。それを見たおばあさんが怒る。

「車の屋根が鳥の糞だらけだよ。エサはやらないで！」

「そのうちスズメからツヅラが届くから待ってろ。その時は大きい方のツヅラをあんたにやるからな。楽しみにしてろ」

「大きいツヅラはいらない！　小さいのが欲しい！」

意地悪なおばあさんは大きな声で叫んだとさ。　どんとはれ。

［令和四年九月十四日］

我が家のシンボルツリー

「この家のシンボルツリーは桜にします」

設計を任せていた建築家の石川久さんが言った。我が家のことも、もちろん娘のことも良く知っている彼ならではの提案だった。

「村上さん、ちょっと」

病院の廊下で、娘の主治医から声をかけられた。平成十二年三月初めのことだ。その時、菜穂子はすでに中咽頭癌の末期だった。診察室に入ると、先生はとても申し訳なさそうに

我が家のシンボルツリーの桜が満開

「菜穂子さんが、お花見をしたいから今月末に退院させてくれと言うんです。でも……」

と、ちょっと口ごもりながら話を続けた。

「三月末まで持つかどうか……」

覚悟をしていたとはいえ、はっきりと娘の命の区切りを告げられて動揺してしまい、その後の先生との会話をまったく覚えていない。

それから数日後のこと。個室だった病室に一抱えもある大きな花びんが運び込まれ、まだつぼみの固い大きな桜の枝が二本活けられていた。

「どうしたの？　この桜」

驚く私に娘はにっこりと笑って、『看護婦さんたちが大騒ぎして活けて行った』と紙に書いた。

菜穂子の喉に出来た癌は、どんどん大きくなって、すでに気管も食道も押しつぶしていた。呼吸ができなくなり、喉に穴をあけ気管支まで管を通して、何とか気道を確保している。開けた穴は声帯の下だったので、声帯まで呼気が届かなくて話すことができなかった。食道はもう一滴の水さえも通さず、栄養は点滴だけが頼みの綱だった。すでに二ヶ月以上も点滴だけで生きている。体はやせ細って肋骨の一本一本を数えることができるほどだ。筋肉が落ちたので、自分で寝返りを打つことができないばかりでなく、足さえ動かすこともできない。それでもかろうじて鉛筆を握り、ヨロヨロとした字で意思を伝えた。『他の人に見つからないように暗くなるのを待って、病院の庭の桜の枝を切ったんだって。脚立やのこぎりや花びんは、看護婦さんたちが自宅から持ってきた』。

桜が咲くのを待つことができない娘の命。そんな菜穂子に、どうしても桜の花を見せたいと思ってくださった先生の気持ちが有り難くて涙が出た。前日から先生と看護婦さんとで相談をして、暗くなるのを待って病院の庭の大きな桜の枝をこっそり盗んできてくれたのだ。さらにこう書き足して、まるでいたずらっ子のように笑った。

『こういうのにも処方箋が出るのかな』

病室が暖かいので、桜は数日でほころび、すぐに満開になった。菜穂子は、ベッドの上で「相馬で一番早いお花見だ」と大喜びした。桜の効果は絶大だった。三月いっぱい持つかどうかと言われた娘の命は、三月を過ぎ、四月になってもなんとか保っていた。私は、毎日、薄氷を踏む思いで病室に通った。

四月十六日は日曜日だった。病室に行くと、ストレッチャーと呼ばれる移動ベッドが運び込まれていて、先生や看護婦さんたちが大騒ぎをしている。もしや、病状が悪化したのかと驚いたが、先生も看護婦さんもとても嬉しそうなのだ。

「菜穂子さんのお母さん。今日は暖かいから病院の庭でお花見をします」

と先生がはずんだ声で言った。ストレッチャーに乗せようとしたら、菜穂子が首を横に振る。『私の美学が許さない。車いすがいい』。そのメモを読んで、先生や看護師さんが大笑いした。

「菜穂子さんらしいわ。よし、車いすで行こう！」

体に負担をかけないようにと用意したストレッチャーだったのに、すぐに代わりの車いすが持ってこられた。彼女の体はたくさんの管が繋がれていて、おまけに触るとポキンと折れてしまいそうなほど痩せている。看護婦さんが四人がかりで、そろり、そろりと車いすに乗せる。風邪をひかないように車いすの上から毛布でぐるぐる巻きにして、看護婦さん三人と私、さらに点滴の薬を下げたスタンド二本を従えて、まるで大名行列のようなお花見が始まった。

病院の裏庭の桜は満開だった。その日は風もなく、雲一つない晴れ渡った青空の下で、桜が今や盛りと咲き誇っている。豪華絢爛とか、春爛漫という言葉は、こういう風景の事を言うのだろう。桜を見る娘の顔は、喜びで輝いていた。そんな様子を看護婦さんたちも一緒になって喜んでくれた。わずか十分ほどのお花見だったけれど、お花見がしたいという希望はかなえられたのだ。そしてはからずも、この日は私の誕生日だった。娘と一緒のお花見は、娘から私への最後のプレゼントになった。


処方箋は出なかったもしれないが、桜の花はどんな妙薬よりも彼女を元気にした。三月いっぱい持つかどうかと言われた娘は、四月、五月と生きぬき、六月八日に亡くなった。病室でのお花見、病院の庭でのお花見は、ベッドから動けない毎日を送っていた菜穂子にとって、何より嬉しい出来事だったに違いない。

「自分の人生を楽しめないのは、私の病気のせいだなんて言わないでね。それって、私に対してとても失礼な事なんだよ。お母さんはお母さんの責任で、自分の人生を楽しんで頂戴」

菜穂子に言われた言葉である。

いつでも、どんな時でも、人生を楽しもうとしていた。生きようとしていた。花見がしたいと言い、車いすの方がいいと言った。あの日の娘の笑顔を思い出す。

そんな菜穂子との大事な思い出を、石川さんは一本の桜の木に託してくれた。桜の成長は、娘の成長を見るようだ。玄関わきの枝垂れ桜は大きく育って、春には枝が折れそうなほどたくさんの花を咲かせる。夏の葉桜も、秋の紅葉も、もちろん春の満開の桜も、我が家を訪れる人を歓迎するかのように美しい。

［令和二年七月二十二日］

最後の親孝行

末期の中咽頭癌だった娘の菜穂子。病室の机の引き出しから、アイバンクの登録カードを見つけたのは亡くなる一週間ぐらい前だった。すでに痛み止めのモルヒネしか治療法がなく、その作用でただ眠っているだけの日々だった。

娘は角膜を提供するつもりなのか。嫌だ。絶対に嫌だ。たとえ死んだ後でも、これ以上娘の体にメスを入れるのは嫌だ。登録カードを握りしめた。

自宅に帰ってから夫にその話をすると、夫は思いがけない事を言う。

「俺なぁ、菜穂に頼まれていたんだ。『きっとお母さんは反対すると思うから、その時にはお父さんがお母さんを説得してね。絶対だよ』って」

夫がアイバンクのことを知っていながら、登録に反対しなかった事が無性に腹が立つ。娘の角膜を持っていかれても平気なのか。

「菜穂はなぁ、『本当は、提供できる臓器は、なんでもすべてあげたいけど、私は癌だから血液に運ばれてすべての臓器に癌細胞が行っている可能性がある。だけど、角膜には血液が通っていないから、唯一角膜の提供はできる。角膜が必要な人は多いと思うから、ぜひ使ってもらいたい』って言ったんだ」

娘の決意を聞かされても、それでも絶対に嫌だ。反対する私に夫は静かに言った。

「なぁ、おまえは自分の気持ちを大事にするのか？　それとも菜穂の気持ちを大事にするのか？　俺は、菜穂の気持ちを大事にしてやりたい」

私は、号泣した。そうか、菜穂子の気持ちか。自分の気持ちよりも娘の気持ちを大事にしてやるべきなのか。泣くだけ泣いたら少し気持ちが落ち着き、しぶしぶではあったが角膜提供に同意した。

亡くなって半年ぐらい後に二人の希望者の目に、菜穂子の角膜の移植が行われたとアイバンク協会から感謝状が届いた。どこの誰なのか、移植された方の情報は何もわからない。けれど福島県内の希望者の目に移植されたのではないかと想像する。若い人から順番に行われるとも聞いた。案外、近い所に住んでいる人かもしれない。だから、私は時々すれ違う若者の目をのぞき込んでみたりする。

角膜に記憶があるとすれば、最後に見た病院の庭の満開の桜の映像が残っているはずだ。移植された人は、春になって桜が咲くとなぜかそわそわして無性に桜が見たくてたまらなくなるだろう。きっと今年も、菜穂子の角膜はあの時のように咲き誇る桜を見に出かけたと思う。

角膜を残すことに反対したが夫の一言で思い直した。おかげで娘の角膜は生きている。誰かの目の中で生きている。これから先もずっと菜穂子の角膜は、大好きな桜を見続けると思うと、娘を亡くした悲しみが少しだけ和らぐ。

菜穂子が亡くなって十年目にかかってきた突然の電話だった。ＡＣのコマーシャルに出てほしいというのだ。

日本では、毎年二千人の人が角膜移植を受けて光を取り戻しているそうだ。半数は、自国の提供者だが、残り半数は東南アジアなどから調達しているらしい。ところが、平成二十年（二〇〇八年）にWHOで、自国で必要な臓器は自国で調達するという規約が採決された。この規約で希望者の半数の千人しか移植を受けることができなくなった。そこで急遽、登録者を増やすためのコマーシャルが作られることになったという。臓器提供というデリケートな問題を含んでいるので、角膜を提供した人の家族の情報が少なかったそうだ。CM出演者が見つからず、ネットでいろいろと検索してやっと私のブログにたどり着いたらしい。

コマーシャルに使う菜穂子の写真が必要になった。実は娘が亡くなってから辛くてアルバムを開くことができなかった。写真を見るのが辛かったのだ。遺影でさえ直視したことがない。けれども辛いなどと言ってはいられない。十年ぶりにアルバムを広げた。一つだけほっとしたことがある。娘はどの写真も笑顔で写っていた。すべての写真が笑っていた。菜穂子は人生を笑顔で生きていったのだと安堵した。

このコマーシャルは平成二十一年七月から一年間、全国放送になった。

「ある日、村上さんは、闘病中の娘菜穂子さんから角膜を提供したいと告げられた。これ以上娘の体を傷つけたくないと思ったが、彼女の意志は大切にしてやりたいと思った」

私たち夫婦の映像と菜穂子が桜の木の下で笑っている写真に、静かにナレーションが流れる。そして最後に、私の声で

「きっと今も好きだった桜を誰かの目になって見てるでしょう」

とナレーションが入って終了するわずか三十秒のコマーシャルだ。

そして後にこのコマーシャルが、私たち家族の大きな支えになる出来事が起きた。平成二十三年三月十一日の東日本大震災の津波で、海岸近くにあった自宅も経営していた旅館もすべてが流されてしまった。

被災して身を寄せた避難所は、新地町の保健センターだった。さほど広くない部屋に百二十人もが避難していた。ほとんどの人が近所の顔見知りだったからか、被災という共通の体験があったからか、狭い部屋での雑魚寝ではあったが大きないざこざもなくみんな仲が良く暮らした。いつしか、全員が大家族のようになって暮らしていた。

「てっちゃんと美保ちゃんがテレビに出ているよ」

と呼びに来られて、玄関ロビーにある大きなテレビを見に行った。私たちが出演したＡＣ

のコマーシャルが流れていた。テレビの中に笑っている菜穂子がいた。震災で多くのコマーシャルが自粛され、空いた時間に放送されたのだ。一日に何度も娘の笑顔が現れた。三年ぶりに見る娘の映像だった。

旅館も自宅も失って、これからどうしたら良いのか先行きも見えず、毎日下ばかり向いて暮らしている。そんな私たちを心配して、彼女は現れたのだろう。笑顔で「大丈夫だよ。正嗣もいるでしょ。お父さん、お母さん、頑張って！」と言いに来たように思えた。

旅館や家を失ったことなど、菜穂子を失った時の苦しさや悲しさに比べたらたいしたことではない。あの辛い経験をしたのだから、これぐらいのことはたやすく乗り越えられる。大丈夫、三人で頑張ろう。家族でそんな話をして、百三十年続いた旅館の幕を下ろすことを決断した。娘が安心するように家族仲良く力を合わせて生きていくと決めた。

あのコマーシャルのおかげで、不安だけれど絶望しないですんだ。ずいぶん長い時間がかかったが、「あのことさえなければ」という私の思いは、いつの間にか「あのことがあったから」に変わった。

生と死は、まったく別なものではない。繋がっている。死んだ後でもこんな風に、生きている者を励まし支えることができる。死者と生者との繋がりを縁（えにし）というのだろうか。夫は言う。

「俺はなぁ、菜穂が死んだと思ってない。角膜は誰かの目の中で生きているんだぞ」

角膜は生きている。今も誰かの目の中で生きている。

このコマーシャルには「最後の親孝行」というタイトルが付けられている。

［令和二年九月九日］

大好きな桜の下で微笑む菜穂子。この笑顔に励まされた

エコたわし編み隊の花見

平成二十三年、東日本大震災の年に桜は咲いたのだろうか？　きっといつもの年と同じように咲き、そして散ったことだろう。けれど、私にはあの年の桜の記憶がない。津波で旅館も自宅も失った私は、いつ桜が咲いていつ散ったのかが記憶に残らないほど毎日を必死に生きていた。この先どうしようかという将来のことを考える気持ちの余裕さえもなかった。来る日も来る日も、知人や友人の遺体が見つかって告別式が続いた。女性には、避難所にいる百二十人ほどの三度の食事の準備と片付けがあった。続々と届く大量の支援物資の仕分けや配布の手伝いもした。忙しく毎日が過ぎたことは、むしろ幸いだった。余計なことを考えて思い悩む時間を持たなくて済んだから。日々、悩む暇もないほど目の前のことに追われて暮らしていた。

「同じ釜の飯を食う」という言葉があるが、同じ空間で同じ食事をしながら暮らしていると、いつしか避難所にいる人全員が家族のように思えた。すべてをなくしたという共通の体験があったからかもしれない。もともと住んでいた地域が同じで、全員が顔見知りだったことも大きかったと思う。

被災して一ヶ月後にみんなで相談して町長に宛てて嘆願書を書いた。「この避難所にいる全員で同じ仮設住宅に入りたい」という嘆願書は町役場に届けられて、新地町で真っ先に出来上がった仮設住宅に皆で一緒に入居することができた。引っ越したのは、運動公園のサッカーグランドの上に出来た百十戸の仮設住宅だった。

引っ越したばかりの頃は、通路に置かれたベンチで井戸端会議をする人たちの姿があった。しかし、冬になり寒くなって外で人の姿を見かけなくなった頃、新聞には「孤立」とか「孤独死」という文字が躍るようになった。この仮設住宅から、孤独死など出したくないと思ったが、そのために私に何ができるのか見当がつかなかった。考えあぐねていたある日、横浜市の「ソレイユ」という手芸グループから「みなさんでエコたわしを編みませんか」と、毛糸と編み図が届く。

「これだ！　みんなで集まって編み物をしよう」

とひらめいた。すぐにチラシを作って全戸に配布した。

「エコたわしを編んで、売って、日帰り温泉に行こう！」

　エコたわしとは、アクリル毛糸で編んだたわしで、洗剤を使わなくても食器の汚れが落ちる優れものだ。早速インターネットで毛糸と編み針の支援を呼び掛ける。全国はもちろんのこと、驚くことにイタリアやフランス、アメリカからもアクリル毛糸がぞくぞくと届いた。

　集会所に集まったのは、最初は十六名だった。編み物好きの男性の参加を期待して全戸にチラシを配布したのだが、集まったのは高齢の女性ばかり。団体の名前を「エコたわし編み隊」と付けて、月曜日の午後一時から仮設の集会所で、手よりも口を

アクリル毛糸で編んだエコたわし

動かす方が多いにぎやかな活動が始まる。編み物が得意な人が先生になってくれた。作業後にはお茶飲みをした。編み物よりもお茶飲みの方が楽しみで参加する人も多かった。

私は、エコたわしが売れても売上金を皆には渡さないと宣言した。

「売上金は、全部私が持っていることにします。そのお金で楽しいことをして遊びましょう。それぞれの人に個別にお金を渡すことはしません」

私が心配したのは、売上金を配ることで技量に差が出ることだった。器用な人はどんどん編むだろう。一方で不器用な人は編んでは解き、編んでは解きで、なかなか完成しない。渡す金額に差が出たら、不器用な人は面白くなくて来なくなる。目的はお金ではない。まずはみんなが集まることが目的なのだ。だから手が痛くて編むことができない人の参加も歓迎した。毎週集まることが安否確認にもなる。皆でおしゃべりして楽しい時間を過ごせば孤立も防げる。とにかくこの仮設住宅から孤独死など出したくなかったのだ。

資金がなかったので支援で届いた毛糸は有り難かった。毛糸を買わなくてもすぐに活動することができた。特に海外から届いた毛糸は、おばあちゃんたちのテンションを上げた。

「アメリカの毛糸だど。ほぉ、おっきいなや。ラグビーボールみたいだ」

「これ、パリからの毛糸だど。パリなんて一生行くことができないべから、せめて毛糸でパリを味わうことにするべ」

エコたわしはどんどん出来上がった。今度は「買ってください」とまたインターネットで呼びかけた。各大学の大学祭やロータリークラブ、社会福祉協議会などが大量に買ってくれた。個人の方からも多数の申し込みがあった。売り上げがどんどん上がった。活動を続ける資金ができた。支援してもらわなくても自分たちのお金で毛糸を調達できるようになり本当に嬉しかった。

売上金で芋煮会をした。ビンゴ大会もした。廻らないお寿司が食べたいという人がいたので、お寿司屋さんに握ってもらって女子会もした。お餅もついた。

最初十六名で始まったエコたわし編み隊の活動も、町内の他の仮設住宅から参加してく

毎週集まって楽しく編物をした

る人、自宅を再建して仮設住宅から出て行っても通ってくる人もいて、合わせると二十八名の大所帯になった。

売上金を使っていろいろなイベントを開催したけれど、私にはどうしても実行しなければならないことがひとつある。それは、最初の募集チラシに「日帰り温泉に行こう」と書いた以上は、温泉に行かないわけにはいかないのだ。

皆と相談して震災の翌年の四月、日帰り温泉に行くことに決めた。しかしそれを聞いた夫が大反対なのだ。

「おまえなぁ、高齢のばあさんたちを温泉に連れて行って、万が一の事があったらどうする。おまえが責任とれるのか。俺は温泉に行くのは絶対に反対だ」

と頑固に反対する。たしかに八十代が数名いる。その上、メンバーのほとんどが病院通いをしている。ほぼ全員が薬を飲んでいる。私は、エコたわしを編んでいる時に聞いてみた。

「主人がね、温泉に入って万が一のことがあったらどうするって言うの。どうしようか、温泉に行くのをやめる?」

すると一人のおばあちゃんが編み物の手を止めて言った。

「美保ちゃん、連れてって。温泉に入ってきれいになっているから、万が一の時はそのまお棺に入れてもらえばいいから。行って死ぬなら本望。行かねぇで死ぬのは残念だもの」

そうだ。その通りだ。楽しいこともしないで死んでなどいられるものか。


新地町の隣の丸森町の国民宿舎から迎えのバスが来た。バスに乗り込んで来る顔がどの人も嬉しそうだ。聞くと仮設住宅から外に遊びに出るのはこれが初めてだという。ましてや温泉になど被災してから今まで行ったことがないという。

「ほだって（だって）、皆から支援を受けてんだよ。支援をもらって生活しているのに贅沢したら罰が当だっぺ（罰が当たるでしょ）。おいしいものを食べたり、温泉に行ったりしてはなんねぇ（ならない）と思っていたんだ」

支援を受けて生活しているからと気を使って、一年もの間一切の贅沢をせずに小さくなって暮らしていたと言うのだ。なんと律儀な事だろう。出発前から、停まっているバスの車体が揺れるほどみんなが大笑いをしている。今まで見たことがないほど嬉しそうに顔を輝かせる。

国民宿舎では、一番値段の高いお膳を用意してもらった。温泉にも入った。歌も歌った。盆踊りも飛び出した。みんな満足しきった顔だった。

楽しい時間を過ごして玄関を出ると、庭の桜が満開だった。聞いてみたら誰も前の年の桜をおぼえていないという。誰一人として震災の年の桜を記憶していなかった。その日はエコたわし編み隊のメンバーにとってまさに二年ぶりの花見になった。全員が送迎のバスに乗るのを忘れたかのように、桜を眺めて立ち尽くしている。

「命が助かったからこうして桜が見られるんだね。死んだ人にも見せたかったな」

津波で夫を亡くした人がしんみりと言い、咲き誇る桜の下でみんなが泣いた。

命があったからこうして満開の桜を見ることができる。あの時に死んでいたら、今日という日を迎えることができなかった。美しい桜を見ることはできなかった。あの日、津波で亡くなった二万六千人の人たちは今日まで生きて、この桜をどんなにか見たかったことだろう。

詩人の長田弘の言葉を思い出す。

亡くなった人が後に遺してゆくのは、その人の生きられなかった時間であり、その死者の生きられなかった時間を、ここに在るじぶんがこうしていま生きているのだ……

（長田弘著『詩ふたつ』あとがきより）

私は生きて桜を見ている。生きているってすごいと改めて思う。

［令和二年十月二十八日］

うみみどり

ある日、避難所に大量のアンパンが届いた。すると、まったく別な人からもアンパンが送られてきた。続々とアンパンが届き、避難所の台所にアンパンの山が出来上がった。数日前の新聞に「避難所にアンパンを持っていったら、甘いものが食べたかったと喜ばれた」という新聞記事が載ったからだ。

最初は喜ばれたアンパン。だが一日三食のアンパンが二日も続くと、ブーイングがおきる。だからといってアンパンを捨てることができない。新聞の投稿欄に「せっかく持って行った支援品がごみ箱に捨てられていた」と報道されたからだ。支援品は品物だけでなく「頑張れ！」という気持ちも一緒にいただいている。仕方がなく、炊事係のお母さん達が毎日食べた。食べても食べても減らないアンパン。次第に食べることが苦行になってきたころ、アンパンの裏側に白斑を見つけた。

「カビだ。これ絶対にカビ。もう捨ててもいいよね」

もしかしたら違ったかもしれない。でも炊事係の全員がその小さな白いものを「絶対にカビだ」と言い張って、やっと捨てることができた。みんなに笑顔が戻った。

支援したいという人は多い。だが何を支援したらよいかわからないので、新聞記事やテレビ報道から探って送ってくれる。乳幼児がほとんどいないのに、大量のおむつや粉ミルクが届いた。シーチキンの缶詰やなめ茸の瓶詰は、どうしたらよいかわからないほど大量に送られてきた。反対に調味料など欲しい物は届かず味付けに苦労した。

ある時、アイディアがひらめいた。友人たちのメールには「何か欲しいものはない？送るよ」と必ず書いてある。日本中の人が同じように何か送りたいけれど何を送ったらよいか迷っているはずだ。そうだ！　必要な物をこちらからリクエストすればいい！　さっそくSNSに書き込む。

「塗りの箸を送ってください。割り箸を洗って使いまわしています。とても不衛生です」

全国の見知らぬ人たちから箸がドドッと大量に届いた。他の避難所にも届けた。漫画をリクエストした時は喜ばれた。読むのは子どもだけかと思ったら、むしろ大人の方が飛びついたのには驚いた。子どもたちにスケッチブックとクレヨン。食事を運ぶお盆。胃薬、風邪薬、ばんそうこうなど欲しいものを「ください」とインターネットに書き込む。その支援物資は私宛に送ってもらった。町に送ると、全避難所に配る数になるまで保管されてしまうのだ。被災者全員に公平に配れないものは、その数になるまでストックされる。その間に賞味期限が切れることもある。もったいないと常々感じていた。私宛なら確実に私の元に届く。

原発事故で混乱している福島県。はたして荷物が無事に届いたのか、送った人も心配していることだろう。そこで、はがきを買ってきて「荷物が届きました。ありがとうございました」と、たった二行だが書いて送った。朝から晩までお礼のはがきを書く日が続いた。

私と同じようなことを考えて、全国規模で大々的に活動した人がいる。早稲田大学の西條剛央先生だ。「ふんばろう東日本支援プロジェクト」を立ち上げた。それまで支援はそれぞれが赤十字や社会福祉協議会などを通して行っていた。そのほとんどが一方的で、多分これが不足しているだろうと思うものを送る。そのために物資が偏ることもあり、必要なものが届かず、いらないものが重複する。ボフンティアもしかり。マスコミに取り上げられる地域に殺到し、来てほしい町に来てもらえないという事態が起きていた。彼は必要な人に、必要な物が必要な量を届けられないだろうかと考えた。被災地で人々の意識調査をしてその思いがさらに強くなった。そしてインターネットで支援してくれる人を探し、欲しい人へ橋渡しをする仕組みを作り上げる。支援したい人が、アマゾンを使って直接被災者に欲しいものを届けるのだ。

「○町の△さんがテレビを一台欲しいと言っています。アマゾンから送ってくれる人は連絡ください」

彼はインフラとしてツイッターやフェイスブックを使った。ボランティアも同じ方法で募集した。支援してほしい人と支援したい人を、直接インターネットでつないでいった。

物資やボランティアだけではない。就労支援も行う。「パソコンふれあい教室プロジェクト」「手に職・布草履プロジェクト」「重機免許取得プロジェクト」「ミシンでお仕事プロジェクト」など、次々にいろいろな支援が始まった。全国から技術を教えてくれる先生が集まり、中古のミシンや重機も集まってプロジェクトが始動していった。支援してほしい人、支援したい人が大勢関わる巨大組織になった。

一人の女性が私を訪ねて仮設にやってきたのは、震災から十ヶ月後のことだ。私のブログでエコたわし編み隊の活動を知ったという。その人は「ふんばろう東日本支援プロジェクト　ものづくり班の亘理孝子」と名乗った。実は、「ふんばろう東日本支援プロジェクト」という名前を聞いたのはその時が始めてだった。

「ミシンを要りませんか？　ミシンを使ってお仕事をしませんか？　先生を派遣することもできます」

ミシンは欲しいが、仕事は嫌だとみんなが言う。ミシンだけもらった。仕事ではなく趣味として手芸を楽しみたいというと、手芸の先生を何人も派遣してくれた。布草履やテディベア、編み物の先生などが仮設にやって来た。彼女自身も「ヨーヨーキルトで作る yoyo bag」という本を出版している手芸の先生だ。エコたわし編み隊のメンバーは、高齢者が多い。

「まなぐ（目）見えねぇから、針に糸通されねぇ（通されない）縫物は無理だ」

手芸をと呼びかけたが、手を上げたのはわずか六名だけだった。六名で手芸クラブを結成した。

震災の翌年、被災した新地町埒浜（らちはま）で絶滅危惧種の「ウミミドリ」が見つかった。ウミミドリとは、浜辺の湿地帯で繁殖し、ピンクの小さな花を咲かせる植物。サクラソウ科の十センチほどの花の名前だ。

「津波をかぶっても芽を出し、花を咲かせたウミミドリにちなんで、グループ名を『うみみどり』にしない？　私たちも津波をかぶったけど、芽を出し花が咲くように頑張ろう！」と言ったのは、みよしさんだった。エコたわし編み隊から独立した手芸グループの名前のことである。

メンバーは、私の良き相談相手のかんちゃん。うみみどり名付け親のみよしさん。いつも会計を引き受けてくれるのぶちゃん。責任感抜群のとしちゃん。いるだけでほっこりするムードメーカーのあっちゃん。年齢も性格もバラバラの六

絶滅危惧種のウミミドリの花

人だ。

「うみみどり」と名前がついて、みんなが張り切った。小さなポーチや帽子を作った。せっかく作った作品だから売ろうと、仙台市の復興支援の店で販売した。毎月一回、みんなで仙台に出かけて行って売り子をする。常連客ができて楽しかった。仕事にしないと言ったはずなのに、自分が作ったものが売れると嬉しい。六人はその店が販売を終了するまでの三年間、嬉々として手芸品を作って売った。

一方で、亘理さんが東京の南青山のギャラリーを借りて、福島県大熊町や宮城県石巻市の人たちと一緒のグループ展を開催してくれた。震災直後は、被災者を支援したいという人が多かった。作品は飛ぶように売れる。浅草や銀座のギャラリー、東京の大崎駅前広場で販売したこともある。令和二年と三年、髙島屋デパートから声がかかった。一流デパートでの販売というのでみんなが張り切ったが、コロナ蔓延のために中止になった。その髙島屋に今年はやっと出店できた。多くの友人、知人が買いに来てくれ、販売会は大盛況だった。三年ぶりに開催できたことが有り難くて涙が出た。これらはすべて亘理さんが探してきたイベントだ。私たちがここまでこられたのは、彼女のサポート、プロデュースの力が大きい。自分たちだけでは何もできなかったと思う。

うみみどりのメンバーは、私にとって何よりの力だ。震災後に高台集団移転した団地の交流を図りたいと始めた事業は、彼女たちの助けがなければできなかった。困った時に相談すると何でも解決する。私のことを信頼して何も言わずに全力でバックアップしてくれる。イベントの時は、指示しなくてもいつの間にか準備や片付けが終わっている。私よりも気が利く人ばかりなのが本当にありがたい。震災からの十一年。楽しい思い出のほとんどが、うみみどりのメンバーと一緒に過ごした時間だ。

コロナでいろいろな行事が中止になり、売る場所がなくなった。販売がないと作品を作る意欲も消えてみんなで集まることも少なくなった。

うみみどりメンバー

高島屋でのイベントは大盛況だった。そろそろチャンスかもしれない。再びうみみどりとして活動したい。小さいけれどきれいな花が六つ咲く日を待ちわびている。

［令和四年八月十日］

心の復興事業

散歩の途中で久しぶりに会うエコたわし編み隊のメンバー。どの人も会うたびに訴える。「仮設に帰りたい。ここは寂しい。誰とも話をしない日もあるんだよ。仮設は良かった」高台集団移転で新しくできた団地。仮設と違い、慰問に来る人も、炊き出しもない。めっきりと住民同士の交流が減った。自由に暮らせる広い自宅が出来たというのに、あの不自由な仮設を恋しがるとはいったいどういう事だろう。ちょっと悲しくなる。足りないのは団地内の交流だ。何とかしなければと、勝手に一人で立ち上がった。誰にも頼まれてもいないのに。

そんな時、国の制度に「心の復興事業」というものがあるから申し込まないかと声をかけてくれたのは、町役場の復興推進課だった。事業資金を支援してくれるという。しかも返済しなくても良いというのだ。このタイミングでなんという幸運！　受理されるかどうかわからないが、とにかく申し込みをすることにした。

生まれて初めて公的な申請書を書く。しかもパソコンのエクセルで書けという。ワードしか使ったことがない私。すぐに「だれにでもわかるエクセル」という入門書を買った。それを片手にパソコン画面に向き合っても、数行ですぐに専門用語にぶつかる。そのたびに調べるのだが、その説明の意味さえ理解できない。何度読み返しても操作ができず、なかなかうまくいかない。パソコンのマウスを握ったまま唸った。おまけに、やっと操作できたかと思うとすぐにフリーズする。パソコン画面が固まって動かなくなるのだ。にっちもさっちもいかない。

「照美ちゃん、パソコンが動かなくなった……」

「美保子さん、またどこか余計なところを触ったんでしょ。わかった！　仕事帰りに寄るから」

照美ちゃんというのは、同じ団地に住む新地町役場の復興推進課の職員だ。パソコンに詳しい彼女に何度助けてもらったことだろう。表の罫線が引けないとか、予算表の合計が出ないなど、初歩の操作さえうまくいかない。照美ちゃんは、出来の悪い生徒の私を根気よく教えてくれた。夜中に呼び出し、パジャマのまま来てもらったこともある。嫌な顔一つせず、付き合ってくれた。

心の復興事業というのは国の施策である。東日本大震災で悲嘆に暮れている人たちが、立ち上がる手助けをするための事業だ。特に福島県は、多くの人が福島第一原発事故による避難を余儀なくされている。被災者や避難者を笑顔にするためにと始まったのが心の復興事業だ。

公的な文書にチャレンジする。パソコンを前に緊張する。知識もないのに書類を完成させるのは難しかった。動機の欄には、仮設から引っ越した団地内の交流がない事。住民の寂しさや被災した辛さを、情に訴えるべく切々と書いた。目的の欄には、いろいろな行事を通して団地内の交流を図ると力を込めて書いた。年間予定。それに伴う予算。そして参加が見込まれる人数を書く欄もあった。さらに人数は、津波の被災者と原発の避難者と被災していない町民を分けて予想しなければならなかった。時々マウスを握ったまま首をひねりそして呻き、それでもなんとか書類を完成させ復興推進課に持って行った。朝から夜中までパソコンとにらめっこし、完成まで二週間もかかった。私の目はショボショボになり、頭を振ると脳の中で数字がカサコソと音を立てた。

「美保子さん。こういう書類を書いたのは初めてですか？」

書類に目を通した復興推進課の吉本さんは、大笑いした後でそう言った。彼は県庁職員で新地町に支援に来ている。なんでも相談に乗ってくれる頼もしい人だ。心の復興事業を勧めてくれたのも彼だ。

「面白いなぁ。読み物としては、とても良いです。だけど書類の書き方は落第。復興庁には、膨大な量の申し込みが来ます。それを全部読んで精査するのです。こんなに長文だと読むのが大変。文章はなるべくシンプルに。余計なものは省いて簡潔にしないと読んでもらえません。箇条書きでもう一度書き直してください。それから、ケーキは良いですが、おにぎりやパンは認められませんよ」

「えぇっ？　おにぎりよりもケーキの値段が高いですよ」

「食事の提供はできないのです。おにぎりやパンは食事です。食事はだめです。ケーキはお茶菓子になるからＯＫです。それから芋煮会も食事の提供になりますから、他のイベントにしてください」

ケーキの方が値段が高いのになぁ。芋煮会もダメなのか。どう考えても腑に落ちなかった。だが認められないのなら仕方がない。そして秘策を思いつく。書き直した書類を持って再度、吉本さんの所に出かけた。

「この避難訓練って何をするのですか？」

「うふふふ。避難訓練という事で、集会所に集合します。そこでAEDの使い方の講習会をします。その時に炊き出し訓練もします。炊き出し訓練は、内緒だけれど芋煮会の予定です。消防自動車と救急車も展示して、子どもたちの試乗会もします。グッドアイディアでしょ」

吉本さんからのアドバイスもあって、何とか書類は整い提出した。無事に審査が通過したと連絡が来たのは三ヶ月後だった。税金を使ってする事業だ。生半可な気持ちで行うわけにはいかない。講演活動との二足のわらじは無理だ。講演はやめて、活動は交流事業一本にした。

団地の交流事業なので地区の役員会に出向き、一緒に開催をしないかと誘った。だが役員たちの返事は冷たかった。

「なんであんたがもらった金を使うのを手伝わなきゃなんねぇんだ（ならないんだ）。役員だって忙しんだぞ。これ以上仕事を作らねぇでけろ（つくらないでくれ）。自分でもらった金は、自分で使ったらいいべ（使ったらいいだろ）」

けんもほろろの返事だった。そのツッケンドンな言い方にムッとして、かえって私の腹が座った。

ふん！　いいよ！　自分でやる！

六月に第一回目として民話の会を開いた。だが参加者はわずかに七名だった。よぉし！もっと人が集まるイベントにするぞ！　がっかりもしたが、へそ曲がりな私はへこたれるどころか、ますますファイトが湧く。七月はガーデニング教室。やっと四十人が集まった。九月は、五十名ほどが集まって芋煮会……もとい、炊き出し訓練とＡＥＤ講習会。子どもたちが救急車と消防車を喜んだ。

その他には健康体操、布草履講習会、古くなったネクタイで作るネクタイベア、クリスマスリース講習会、陶芸教室など多彩なイベントを年間七回行った。翌年も審査が通り、同様のイベントを開催した。夏休みには、夏祭りをした。集会所前の広場でヨーヨー釣りや流しそうめん。さらに広場にレールを敷いて、友人が持っているミニＳＬを走らせた。ミニＳＬには子どもだけでなく大人も乗車して大喜びだった。イベントをするたびに、どんどん参加者が増えて、常時五十人以上が集まるようになった。そば打ち教室はいつも好評で、親子で、夫婦で、友人と楽しくソバを打った。いつもたくさんの参加申し込みがあり、何人集まるかと参加人数を心配しなくても良くなりほっとした。参加者が少ないと支援が打ち切られる心配があるのだ。講師には仮設に来てくれたボランティアの先生たちに依頼した。復興した新地町を見てほしかったからだ。

子どもも大人も大喜びだったミニSL

たくさんの人が楽しんだ寄せ植え教室

三年目も承認された。さらにこの年の復興庁のホームページで私たちの活動が紹介された時は、ちょっと鼻高々だった。国が認めてくれたと、踊りだしたいほど嬉しかった。

四年目は復興庁の方から継続を勧められた。この頃になると、団地の雰囲気が目に見えて変わったのを感じる。行きかう人の挨拶の声が元気なのだ。地域内にお互いの知り合いも増え、立ち話している光景をあちこちで見かけるようになった。団地内の交流が増えているのを感じる。

「団地の中が明るくなって……感謝しています」

とあの時反対した地域の役員から声がかかる。それは、何より嬉しい言葉だ。うみみどりのメンバーは、イベントのたびに準備や後片付けなどを全面でバックアップしてくれた。エコたわし編み隊も積極的に参加や協力をしてくれた。多くの人に助けてもらって継続できた。

コロナの影響で、順調だった心の復興事業をおととしから中止している。コロナが蔓延してきて、集まることが難しい世の中になった。交流事業をしたくても、密を避けなさいと言われ開催できない。

仲が良いという意味の言葉に「親密」がある。この言葉には「密」という字が入っている。とかく悪者にされている密だが、人間関係を築く上では、人と人の距離の近さが重要だという証拠だろう。距離が密なら仲良くなれる。親密になれるのだ。密は悪者どころか、人間関係を築く上では実はとても大事なことなのかもしれない。一日も早くコロナが終息し、この団地に、また密な時間が戻っ

そば打ち教室はいつも大人気

てくることを願っている。

［平成四年八月二十四日］

マイタウンマーケット

東日本大震災から十日後ぐらいだったと思う。避難所のロビーで若い男性がコーヒーを入れてくれた。久しぶりのコーヒーだった。香りが鼻をくすぐる。両手で紙コップを抱えてコーヒーをすする。あぁ、コーヒーだ！　胃の中にゆっくりと落ちてゆくのがわかる。もう一口飲んだら、ふっと朝日館での日々が浮かび泣きたくなる。久しぶりのこの味と香り。気持ちまでほぐれてゆく。

コーヒーを入れてくれた若者は、神戸から自転車できたという。神戸が震災の時、多くのボランティアが助けてくれた。そのことが忘れられず自転車にコーヒー道具を積んですぐに飛んできた。目指したのは新地町。以前、自転車で旅行中に、親切にしてくれた人と出会ったのが新地町だった。その人がいる新地町が被災した。居ても立ってもいられなかった。

コーヒーをおいしく頂いて、それっきりその人のことは忘れてしまった。仮設住宅に引っ越して一年過ぎたころに、その人と再会する。彼は、仮設の子どもたちと遊んでいた。西川昌徳さんと言う彼は、ボランティアだという。子どもと遊ぶボランティア。そういうボランティアもあるのかと驚いた。そして笑顔でこう告げた。

「マイタウンマーケットを開催します。ぜひ遊びに来てください」

マイタウンマーケット？　なんだろう？　聞きなれない言葉だ。

「子どもたちが計画して、子どもたちが運営するマーケットです」

震災後、たくさんの支援が届いた。もちろん子どもたちにも。衣類、絵本、自転車、トランポリン、スケーター、卓球台、テレビゲーム、お菓子、大量のおもちゃ。有難かった。だが一方で困ることも起きた。たくさん届いたことで、子どもたちが物を大事にしなくなったのだ。

集会所で遊んだ後、片付けない子を注意すると、平気で返事をする。

「おもちゃを片付けなさい。片付けなきゃ捨てちゃうよ」

「いいよ、捨てても。まだいっぱいあるから」

慰問に来てくれた人が持って来たお菓子を一口食べて棄ててしまう。その人の目の前で。

「おいしくない！」

子どもたちの様子を見て西川さんは悩んだ。このままではいけない。何とかしたい。ボランティア仲間の北澤潤さんと相談し、マイタウンマーケットの開催を思いついた。子どもたちに何かを作って売らせる。物を作って売ることで、物を大切にするようになるかもしれない。

企画会議の様子を見学したことがある。どんな店を出すのか子どもたちに提案させていた。一番大きい子が六年生。小さい子は保育園。全部で八名の子どもたち。それぞれが思いつくまま発言させる。西川さんと北澤さんは、ボードに書き出していく。図書館。おもちゃ屋。遊園地。お菓子屋。お化け屋敷。食堂。温泉。映画館。プラネタリューム。博物館。ボードにはたくさんの名前が並んだ。実現可能な店もあるが、絶対無理な店も並ぶ。だが二人の若者は決して否定しない。

「いっぱい並んだなぁ。では、名前を挙げた人に説明してもらおうかな。どうしてこの店をやりたいのか教えて」

さしたる理由もなく、思いつくまま名前を挙げた子どもたちの顔が「しまった」という表情になった。それでも一生懸命にその店を出したい理由を考える。

マイタウンマーケットは、三年間で十一回も開催された。開催のたびにどんな店を出すか提案と説明を子どもにさせる。彼らは、自分の考えをまとめ、他のメンバーにうまく伝わる言葉を探す。回を重ねるごとにプレゼンテーションはどんどん上達した。商店完成までの予定表や予算まで考えるようになった。我が子ではないが、子どもの成長を見るのは楽しい。全員がひるまず、堂々と自分の意見が言えるまでに成長した。

店を一人で作るのが難しい時はお互いが助け合う。子どもだけで無理なことは、大人も巻き込む。「やれない。やらない」と投げ出す子にも無理強いはしない。「やりたくないならやらなくてもいいよ」とやりたくなるまで待つ。二人の指導者は、優しいだけでなく、時には叱咤激励し、それでも子どもの自主性を何より大事にして辛抱強く待つ。

私は秘かに反省した。急かせてばかりいた私の子育ては間違っていた。

「早くしなさい！　ちゃんとしなさい！　最後までやり遂げなさい！　もう、まったく！　どれ、お母さんが手伝うからこっちによこしなさい」

あぁ、この若い二人の青年のように、子どもたちがやりたくなるまでじっと待ち、手を出さずに見守り、たとえ子どもが間違っている場合でも絶対に否定しないで励ましていたら……。時すでに遅しである。有り余る支援物資に囲まれ、被災したかわいそうな子と甘やかされた彼らだが、曲がることなくまっすぐに育った。二人の若者のおかげである。

　マイタウンマーケットが開催される日は、仮設住宅の通路にたくさんのお店が並ぶ。宝石店では、ビーズで作ったネックレスが売られている。美術館には、子どもたちが描いた絵が飾られた。コンサートホールという名前の台の上でみんなが歌を歌う。テントの中に作った足湯は大きすぎてなか

通路にずらりと並んだマイタウンマーケットの店

なか温まらず、終了間際にやっと入ることができた。タクシーはリヤカーで作り、仮設の敷地内をぐるりと回った。ブティックには支援の洋服が飾られ、無料で持って帰ることができた。遊園地にはお父さんたちが作ったシーソーや丸太渡りなどが並んだ。プラネタリュームもできた。大人が大きなドームを作ってくれて、そこに段ボールを貼り、さらに黒いごみ袋を貼って、小さなプラネタリュームの器具を持ち込んだ。家庭用のプラネタリューム。大きなテント。入場しても星は見えない。しばらく待つと目が慣れてきて星が見え出す。出店者の保育園児は、誇らしげに星の説明をした。お母さんたちは食堂を出店。うどん屋、カレーショップ、たこ焼き屋、焼きソバ屋。その時々でいろいろな物を食べることができた。この中で使えるのは、子どもたちが作った紙幣だけだ。一タウンが一円というレート

お店はすべて子どもたちが出店する。ケーキ屋さんも。

で換金する。そのための銀行もあり、お金を扱うからと銀行員は大人に委託された。終了後の反省会では、しっかりと会計報告がされて、儲けは次の回の予算になった。

子どもはもちろんだけれど、大人も楽しかった。エコたわし編み隊も出店し、いろいろな手芸品を売った。売り上げは全額寄付した。また次回も開催してほしかったから。

あれから十一年経ち、小学生だった子どもたちは高校生、大学生、社会人になった。たまに会う彼らは皆大きくなり、笑顔で挨拶する。笑顔の中に子どもの時の面影が残る。マイタウンマーケットを経験することなく、あのまま成長していたら、どんな人間になっていたか。支援も同情も有り難かったが、ほどほどが良い。物資が豊かなことが必ずしも幸せでない。何もない所から自分の店を作り上げ、苦労した分達成感があった。楽しかった。そのことを体験した子どもたち。生きて行く中で何を幸せというのか。幸せな人生とは、どういう人生なのか。マイタウンマーケットの思い出は、これから先もずっと彼らに教えてくれるだろう。

新妻かおりさんと東北お遍路プロジェクト

新妻かおりさんから「東北お遍路プロジェクト」の構想を聞いたのは、東日本大震災からまだ半年しか経っていない時だった。いつも通りに自分の頭に浮かんでいる考えを早口で勢いよく話す。彼女の思いと情熱が、聞いている私にもビンビン伝わる。なんだか今ひとつ理解できないけど、でもその企画は面白そうだ。

「ね、ね。それって私も参加できる？」

「もちろん！　村上さん、手伝って！」

その場で東北お遍路プロジェクトへの参加を決めた。

新妻さんという人は、とても面白い人だ。彼女は福島県相馬市在住で、若いころはＪＴＢの「るるぶ」や「旅」という月刊誌の編集者だった。ある時、アフリカのケニア共和国に移住した。ＪＴＢの退職金を懐に。

「なぜ、アフリカだったの？　ケニアだったの？」

と聞いた私に、

「興味があったのよ。行ってみたいと思ったから」

と事もなげに言い放った。そのあたりからして無謀というか、彼女らしいというか。その決断力と行動力は私には到底真似できない。結局彼女は五年間、首都のナイロビに住み、そこを拠点にアフリカ大陸を横断と縦断したのだ。まだまだ紛争が激しかった一九九〇年から九五年までのことである。帰国後に書いたアフリカ横断記「楽園に帰ろう」でノンフィクションの文学賞である「蓮如賞」をもらっている。この本を読むと、私なら尻込みするか、逃げ出しそうな場面が何度も出てくる。それなのに彼女は、いつも臆するどころか果敢に立ち向かっていくのだ。若い女性の行動ではないと、本を読みながら何度も思った。もし、私の娘なら首に縄をつけても連れ戻すだろう。

旅の途中、エチオピアのラリベラという町でのこと。その町は森林伐採により町の六割が砂漠になっていた。彼女には旅のお供がいる。子どもたちがボールの代わりに蹴って遊んでいたフクロウの子どもを買い取ったのだ。現代版浦島太郎だ。フクロウに「フー太郎」と名付けて一緒に旅をしていた。大きく育ったフー太郎を森に返したかったが森がない。あるのは砂漠だけだ。彼女は教会にフー太郎を預け、一つの思いを胸に故郷の相馬市に戻った。

そこから彼女の八面六臂の活躍が始まる。まず一九九八年にアフリカの緑化と水資源開発のための「フー太郎の森基金」を立ち上げた。次に全国を講演して歩いた。ラリベラの実情を訴えて募金を集めた。そのお金でラリベラに井戸を掘り、砂漠への植樹を始める。たった一人で始めたこの事業に、やがて賛同者や協力者が集まるようになる。フー太郎の森プロジェクトは三年目にＮＧＯの資格をとり、現在も活動が続いている。二十年間にラリベラに植えた木は、四百万本を超えるという。四百万本と一口に言うが、その数に圧倒される。一人の人間が始めた事業の範疇をはるかに超える本数だ。砂漠の町は、緑の森の町になった。ラリベラを飛行機の窓から見ると緑の中に沈んでいるように見えて、やっとここまで来たと思うと涙が出ると彼女は言う。フー太郎が帰る森ができた。

突然ピンチが訪れた。東日本大震災で東北の沿岸が甚大な被害を受けたのだ。

「津波被害とあの原発事故で相馬はラリベラよりも悲惨になったわ。私の実家は流されたけど、自宅は残った。これは、私に働けという神様からのお告げだと思ったの。私にはNGO活動のスキルがある。それを生かして、人が来なくなった福島県にまた人を呼び戻す。それが私の使命よ」

だが、原発事故の福島県だけでは人は呼べない。それなら東北の被災地全体で人を呼ぶしかない。考え付いたのが「東北お遍路」だった。当時はまだまだ、観光で来るには気を遣う被災地。だがお遍路なら来やすい。お遍路で歩いてもらうことで、慰霊と鎮魂の道ができる。震災の風化も防げる。防災意識も高められる。その上、大勢の人に歩いてもらうと地域が潤う。良いこと尽くめの東北お遍路構想だ。思いついたら即行動する彼女。彼女の辞書には「できない」「やらない」という言葉はない。出来るまで諦めずにやるのが新妻流なのだ。

東北お遍路プロジェクトが私の好奇心をくすぐる。震災の年の暮れにネットでお遍路のポイントになる場所を募集した。「東日本大震災の時に千年先まで語り継ぎたいストーリーがある場所を教えてください」と。すると、集まった場所は百三十か所に上った。お遍路という名前から圧倒的に神社仏閣が多かった。

「その場所に行って確かめてみないことには、ポイントとして認めるわけにはいかない」という言葉に従って、震災の翌年の二月からポイント調査が始まった。

見ると聞くでは大違いという言葉通り、実際にその場に立たないとわからない事がある。校庭から国道まで、崖に斜めにかけた階段。何の変哲もない階段だが、この避難階段があったおかげで子どもたち全員の命が救われたと聞くと、途端に神々しい階段に見えてくる。

昭和八年の大津波の時に海底から浜に打ち上げられたのは、三十トンもある巨石だった。「津波記憶石」と刻まれたその岩は、道路工事の時に邪魔だからと道路の下に埋められた。それが東日本大震災の津波で道路が流されてまた現れたのだ。神の仕業だろうか。行く先々で後世に伝えたい話をたくさん聞いた。その話を拾い集め六十三か所の東北お遍路のポイントが決まった。調査には五年かかった。

だが復興が進むにつれて消滅したポイントも出てくる。宮城県石巻市の大川小学校のように、遺族から反対の声が上がった場所もある。お遍路に来た人が、ピースサインで記念写真を撮るのを見るのが辛いと言うのだ。地元の声を大切にしようと最初はポイントに入れなかった。時を経て、震災遺構に指定されると、ここでもみんなに祈ってほしいという声が上がった。大川小学校は昨年十二月にポイントに入れることに決まった。巡礼ポイントは、削減や増加を繰り替えしながら現在は九十一か所にまでなっている。

新妻さんの行動は決して止まることはない。彼女はいつも全力疾走だ。東北お遍路を多くの人に知ってもらいたいと、俳句コンテストやフォトエッセイコンテストを開催して宣伝している。俳句の選者は、私たちの活動に賛同してくれている黒田杏子先生と、夏井いつき先生だ。フォトエッセイコンテストの選者は、写真家の青柳健二先生と民俗研究家の結城登美雄先生にお願いしている。年一回、いろいろな講師を招いてフォーラムもする。ガイドブックやマップも作っている。ガイドブックは、増減するポイントに対応できるようにバインダー方式だ。それも彼女のアイディアなのだ。

東北お遍路の活動資金は、会員からの会費で賄う。その会員数はどんどん減ってきて常時赤字状態が続いている。そんな状況の中で大きいのは彼女が探してくる事業支援の基金だ。見つけると、申請書を書きプレゼンに出かけていく。震災直後にはたくさんあった基金も十年経ってめっきり少なくなった。相変わらず懐具合が四苦八苦の東北お遍路プロジェクト。

私は時々、敬意と驚異を込めて一廻りも若いこの友人に

「新妻さんにはブレーキがないんだから」

と言う。走り出したら誰も止められない。そんな彼女にくっついてここまで来た。新妻さんと一緒にいると楽しい。ワクワクする。

彼女は「美しく住みよい東北を未来に残す」という大きな夢を持っている。その夢を実現するべく、アイディアを産み出し走り回る。その発想力と行動力にいつも驚かされる。そばにいるだけで大きな刺激を受ける。この友人を、これからも大事にしたい。まだまだ認知度が低い東北お遍路だが、いつか巡礼地を大勢の遍路さんが歩いてくれることを夢見ている。

［令和四年九月二十八日］

妻の美保子はおっかない

「東北お遍路プロジェクト」は、東日本大震災の年に発足した団体である。原発事故で福島県に観光客が来なくなった。福島県だけでなく他の被災地でも人が来ない。人の交流があってお金が動かないことには復興が進まない。観光客でもいいから来てほしい。そう思っていた時に友人の新妻かおりさんが、それなら福島県に来る理由を作ろうとプロジェクトを立ち上げた。それが東北お遍路だ。青森県から福島県までの被災地をお遍路さんに歩いてもらう。そしてお金を落としてもらって復興を進める。被災地に行くのに観光では気が引けるという人でも、お遍路としてなら来やすいだろう。だが、なかなか浸透しない東北お遍路という名前と活動。何とかしたくて各地でフォーラムを開催したり、俳句と写真のコンテストを行ったりしている。

東北お遍路俳句コンテストの選者にお願いしたのは、黒田杏子さんだった。他に誰か選

者を頼みたいと言ったら

「金子兜太さんが良いんじゃない。私が頼んであげるわ。あとはそうねぇ、夏井いつきかな。彼女は私の弟子だから嫌とは言わないでしょう。今勢いのある俳人だから選者にピッタリ」

と金子さんと夏井さんを頼んでくれた。

後に知ったのだが、この三名は日本の俳句界の重鎮だった。おいそれと選者を頼めないすごい人たちだった。知らないとは恐ろしい。活動資金が乏しいわが団体。俳句界の人たちが聞いたら腰を抜かすような低報酬で選句をお願いしている。東日本大震災の被災地の復興に拍車をかけたいという東北お遍路の理念。三名の俳人たちはもろ手を挙げて賛同してくださり、報酬など度外視して引き受けてくださった。残念なことに翌年金子兜太さんがお亡くなりになり、以降、黒田さんと夏井さんがずっと選者を引き受けていてくれる。

「東北お遍路主催で夏井いつき俳句ライブをしたいね」

という話が昨年、理事会の席で出た。とんとん拍子に話が進んで、福島県いわき市での開催が決まった。ところがコロナで自粛となり、俳句ライブの開催が延期になった。三月の予定が六月に延期され、十一月に延期、さらに一月に延期になった。それでもなんとか一月には開催するまでにこぎつけることができた。

何度も延期し、さらにこのコロナ騒ぎの中、果たして観客が何人来るのか、当日になってもドキドキだった。だが心配をよそに、開場時間が近づくにつれて続々と人が集まってきた。テレビ番組のプレバトで、今や飛ぶ鳥を落とす勢いの夏井さん。ファンが大勢押し寄せて会場はほぼ満席になった。心配は杞憂に終わった。受付では入場者全員に「五分でできる俳句の作り方」いう紙と投句用紙一枚が配られた。

夏井さんはテレビで見るよりも小柄だった。着物姿ではなく普通の洋服だった。

「今日、私の着物姿を楽しみにしてきたでしょ？　残念でした。私は着物を一着も持ってない。テレビの着物は、局が用意してくれるの。世の中には着物を着ないと俳句が作れないと思っている人もいてびっくりするのよ」

と言って会場を笑わせた。すてきなスーツではなく、おしゃれなワンピースやパンツ姿でもなく、ありふれた洋服だった。その飾らない人柄をますます大好きになった。

「はい！　この中で俳句を勉強している人は手を挙げて」

突然の質問に会場の三分の一ぐらいの人の手が上がった。

「では俳句を作ったことがない人は手を挙げて」

残りの圧倒的多数が手を挙げた。

「俳句を作ったことがない人でチームを作ります。『チームすそ野』です。富士山はすそ野が広いから美しいのです。ではこれから『チームすそ野』に五分で俳句が作れる方法を伝授します。受付でもらった『五分でできる俳句の作り方』という紙を出して」

俳句は上の五音、中の七音、下の五音の合計十七音からできていること。季語を入れること。季なしという句や、字余りという十七音に入りきれない俳句もあるが、「チームすそ野」にはまだ百年早いから定型句を作ることなどを教えてもらった。

「では、さっそく作ってみましょう。五・七・五の十七音のうち、五・七、または七・五の十二音には日常を入れます。できる限り誰も発想しないことを書いてみましょう。残り五音は季語です。では会場の誰かの句を作りましょうね。誰が良いかな？　あ、そこのカメラマン。あなたはスタッフね。あなたの句を作りましょう」

突然会場で指名されたのは夫だった。スタッフの人手が足りなくて夫に記録係を頼んでいた。カメラを首からぶら下げて会場をウロウロしている姿が夏井さんの目に留まったらしい。

「そこのカメラマン！　名前はなんていうの？　村上哲夫？　では哲夫、あなたの奥さんの名前はなんていうの？　美保子？　美保子っていうのね」

「はい。美しさを保つ子と書きます」

突然の指名に舞い上がってしまった夫は余計なことまで言う。

「哲夫！　奥さんの美保子はどんな奥さん？　えっ？　おっかないの？　そうなのね。はい、哲夫の句ができました。『妻の美保子はおっかない』これに季語を入れれば立派な俳句です。さっきの紙をひっくり返すと裏に五音の季語がいろいろ書いてあります。この中から選んで上五に入れましょう。とてもおっかないという時は、たとえば『冬ざるる』などどうでしょう。厳しい寒さの冬という意味です。『冬ざるる妻の美保子はおっかない』すごく怖い奥さんだと想像できます。おっかないけれどちょっとは優しいところもある時は『春うらら』なんてどうですか？　『春うらら妻の美保子はおっかない』この句なら奥さんのやさしさや温かさも感じられます。怖いだけではないのが伝わります。哲夫！　美保子は本当は優しいところもあるんでしょう?」

「あ……あ……あ……夏井先生とそっくりです……」

「えっ?　私にそっくりなの?　それじゃぁかわいい奥さんじゃないの!」

会場がどっと沸いた。

それから会場の全員がテーマに沿って五分で一句作った。お題は「ああ!」と「まあ!」だった。出来上がった俳句はすぐに集められて夏井さんのもとに届けられた。彼女は舞台の上で、集まった俳句二百五十人分をわずか十五分で入選七句、佳作二十句選句していく。その速さに舌を巻いた。句を読みながら瞬時に判定して選んでいくのだ。神業とはこういうことを言うのだろう。あっという間の選句だった。

佳作二十句には「チームすそ野」の人の句が多く選ばれた。そこに夏井さんの意図を感じた。俳句を作ったことがない人でも入選すれば興味を持つ。また作ってみようかなと思う。しかも簡単に作った俳句だ。もしかして自分には才能があるかもしれないと錯覚するだろう。夏井さんが目指しているのは、俳句人口を増やすこと。「チームすそ野」を広げること。そのためにテレビに出演したり、高校生の俳句甲子園を行っている。

「佳作の賞品は私の名刺です。私は松山市の観光大使をしています。私の名刺には松山市の観光施設の入場二割引き券がついています。ただし、使用期限は今年の三月末です。三月までに松山市においでください」

なんと使用期限はあと二ヶ月しかない。しかもコロナ禍の今は松山までの旅行はままならない。またまた会場は大爆笑だ。それでも入選者はとても嬉しそうに名刺を懐にしまっていた。

入選七句はほとんどが俳句経験者の句だった。その中に「チームすそ野」から一人選ばれた。「母と同じまんまるの爪こどもの日」という句で、若い男性が作ったものだった。

「どういう気持ちで作ったの？」

と聞かれてその人は

「私の母の爪はまんまるで、世界で一番かわいい爪だと思っていたらしいです。私が生まれて爪を見た時に、自分よりもかわいい爪があったと感動したそうです。そのことを俳句にしました」

と答えた。

「会場にお母さんは来てないの？　来てるの！　お母さん、手を挙げて！」

青年から遠く離れたところで手が上がった。

「お母さん感想を言って！　息子の俳句はどうだった？」

「……嬉しかったです……」

お母さんは涙声だ。夏井さんも涙声だ。入選句の賞品は、夏井さんのサイン入り著書だった。

夏井さんのトークにおなかを抱えて笑っているうちに、あっという間に二時間が過ぎた。笑い転げたおかげでコロナのストレスはすっかり消えていた。心が豊かになって、私も俳句を作ってみようかと思った。

会場の片付けをしていたら、彼女が帰るところだった。名札を見て妻の美保子だと気が付いたらしい。

「ご主人をいじってごめんなさいね」

「いえいえ、私の俳句を作っていただけて光栄でした。楽しくてずっと笑いっぱなしでした。ありがとうございました」

「そう、それは良かった。また会いましょう！」

声をかけてもらえたのが嬉しくて、車が見えなくなるまで手を振って見送った。

その日は遅くなったので夫と二人でいわき湯元温泉に宿泊した。誰とでもすぐに仲良くなるのが特技の夫。神経があるのだろうかと疑うほど能天気な人なのに、夏井さんとの対話には彼らしくもなく気を使ったらしい。ないと思った神経があったことに驚く。せっかく豪華な夕食が出たのに、食欲がないと言って、ろくに食べずに早々と寝てしまった。

そこで一句。

草芽吹く夏井疲れの夫かな

美保子

［令和三年五月十二日］

ハワイの焼きそば　新地の姫リンゴ

竹林篤さんが焼きそばの支援に来てくれたのは、震災からわずか一ヶ月後のことだった。避難所にいた全員に、出来立て熱々のおいしい焼きそばが振舞われた。

「この避難所に来てから初めてお肉を食べました」

「へぇ、そうですか！　それは良かったです。また来ます」

とびっきりの笑顔で答えてくれた。焼きそばに入っていたひき肉が、避難所にいた二ヶ月の間に唯一口にした肉だった。

約束通りに仮設住宅に引っ越した私たちの前に彼は現れた。あの人懐こい笑顔で焼きそばを振舞ってくれた。それからもたびたびやってきては焼きそばを焼く。彼がハワイからわざわざ来てくれていることを知ったのは、何度目かの焼きそば支援の時だった。数ヶ月に一度やって来るので、まさかはるばるハワイから来ているとは想像もしていなかったのだ。

彼が新地町で焼きそばを焼いた回数は、震災後の九年間で五十四回になる。コロナで自由に渡航できなくなり、ここ三年は活動していない。それでも五十四回も来てくれた。支援や慰問で数多くの方にお世話になった。だが、彼ほど長期間にわたり支援し続け、訪れる回数が多い人は他にはいない。

竹林さんの支援は新地町だけではない。他には、岩手県は、宮古市、山田町、大槌町、釜石市、大船渡市、陸前高田市。宮城県は、気仙沼市、南三陸町、女川町、東松島町、塩竈市、仙台市、名取市、岩沼市、亘理町。福島県は、相馬市、飯舘村。焼きそばを焼いた場所の総数は二百か所以上になる。さらにダイバーのライセンスを持つ彼は、海に潜って津波による行方不明者を探すボランティア活動もしている。

もっと驚くのは、支援が東日本大震災の被災地だけではないことだ。二〇一六年に起きた熊本大地震、二〇一七年の岩手県岩泉町の台風被害、二〇一九年広島県の豪雨災害、同じ年の北海道厚真町の胆振東部地震など自然災害が起きるとハワイから飛んでくる。本当にハワイに住んでいるのかと疑いたくなるほどの身軽さで、ひょっこりとやって来る。広島にいたかと思えば、翌日は北海道にいる。その帰りに新地町に寄っていく。まさに神出鬼没、八面六臂の大活躍だ。

この焼きそばが、どれだけ皆の気持ちを慰め、元気にしてくれるかは、すでに経験済みだ。二〇一九年は、災害の多い年だった。新地町の隣の丸森町でも台風による豪雨で町の中心部が湖のようになり十名が犠牲になった。町の人たちが少し落ち着いた時期に、竹林さんはやってきた。隣町の災害。何かお手伝いすることがあればと私たち夫婦も同行した。町の中心部は、洪水で壊れた家が泥をかぶっていた。突然、津波の光景がフラッシュバックする。心臓が早鐘を打つ。だが怯んではいられない。あの時の私たちと同じように不安の中で生活している人が大勢いるのだ。食べることはすなわち生きること。竹林さんが焼く焼きそばを、片っ端からパックに詰めて紅しょうがと青のりをのせ、並んでいる人に手渡す。みんなが出来立て熱々の焼きそばを抱えてニコニコと帰っていく。この焼きそばを食べたら、きっと元気が出る。「頑張れ!」と心の中で叫びながら手渡した。

彼が今まで焼いた総数は、四万三千食以上になるという。その焼きそばの麺を提供してくれたのは、ハワイのサンヌードルという会社だ。彼の尋常でない行動力と熱意に感動して、無償提供してくれた。さらに、冷凍された麺を日本まで輸送するのにＪＡＬが協力した。

ハワイのラジオ局ケーズーやパロロ本願寺、日本の幸楽苑など大勢の人が彼の活動を支援している。まさに人柄のなせる業だ。

竹林さんは、元プロのテニスプレイヤーだった。かつてのテニス仲間に坂本九さんがいた。九ちゃんは家族でたびたびハワイに遊びに来ていた。彼が不慮の事故で亡くなった時、一番心配したのは残された幼い娘さん二人のことだった。奥さんの柏木由紀子さんが

「楽しい思い出がありすぎて、辛くてもうハワイに行くことができないわ」

というのを聞いて、「辛くても一度ハワイに来なさい」と竹林さんは勧めた。ハワイにやってきた親子と今までと変わらず一緒に遊んだ。特に二人の娘さんとは思いっきり遊んだ。その時のことを長女の大島花子さんから聞いたことがある。

「竹ちゃんが、父がいた時と何も変わらず同じように接してくれて、一緒に遊んでくれた。だから、ハワイは悲しい思い出の地ではなく、楽しい思い出の地に戻ったの」

九ちゃんの二人の娘さんは歌手になった。花子さんが竹林さんと一緒に新地町に慰問に訪れるようになった正確な月日はいつだったろう。はっきりしないがまだ仮設住宅に住ん

でいるころだ。集会場や保育園で何度もライブをしてくれた。

彼女は、十一歳の時に父を突然亡くした経験から、「グリーフケア」の勉強をしている。死別の後の喪失感で、心と体のバランスを崩した人の立ち直りを援助することを、グリーフケアと言うそうだ。自分と同じように突然家族を亡くした人が気になり、元気付けようとたびたび新地町を訪れる。ライブをしてみんなに話しかけ、優しい歌声をたくさん聞かせてくれた。

ある日、新地町の荒和子さんが、歌のお礼にと手編みの小さなカゴに入った姫リンゴを手渡した。その事が「ひめりんご」いう曲になる。

彼女はＣＤの歌詞カードに「哀しみのうちにある人に対して、自分は何ができるのか。だれもが出口が見えないこの問いに答えを見つけられず、自身の無力さにまずは負けてしまいそうになるでしょう。悲しみに終わりがなくても、人と人の出会いがもたらす何かに希望を見出したいと思っています」と書いている。「ひめりんご」は、まさにグリーフケアの曲だ。ＣＤのジャケットは、表が新地町のリンゴ畑で空を見上げる笑顔の花子さん。裏は新地町の浜辺で物思いにふける彼女の写真になっている。

避難所や仮設住宅に慰問に来た歌手の方たちが一番多く歌った曲は、九ちゃんの「上を向いて歩こう」だった。ジャズ歌手も民謡歌手も、誰でもが必ずこの名曲を歌った。この曲からもらったものは大きい。歌う人も、聞く人もずいぶん励まされた。いつも会場が一体になっての大合唱になる。時には全員で泣きながら歌った。生きる元気をもらった大切な曲だ。

竹林篤さん、坂本九さん、そして大島花子さんへと続くやさしさの連鎖。それが私たちに届き、これからも途切れることなくまだまだ未来へと続いてゆく。

「なぜ？」と人と人のつながりを不思議に思うことがある。人生の必要な時期に、必要な人と出会う。この人とこのタイミングでの出会いは、まるで何かに導かれているようだと時々感じる。震災があったからいろいろな人と知り合いになった。支えてもらった。とてもありがたい。花子さんの言葉の通り、人と人の出会いがもたらす何かが、明日に向かって一歩踏み出す力になると私も信じている。

六日後の八月二日に、三年ぶりに竹林さんがハワイからやって来る。今まで来たくても、コロナ禍で来ることが出来なかったのだ。カレンダーにつけた大きな赤丸。毎日それを眺めながら、またあの笑顔に会えるとその日を心待ちにしている。

［令和四年七月二十七日］

福島第一原発

また三月がやってきた。明日はまさに三月十一日である。今頃になると世の中に「東日本大震災」という言葉が溢れ出す。今年は十年目。今まで以上に節目、節目と騒がれている。節目って何だろう。被災者には節目などあるはずがない。家族を亡くした人、行方不明の人にとってその日は命日だが絶対に節目ではない。昨日から続く今日にすぎない。ましてや何をもって十年で一区切りなどと言うのか、不思議でならない。私は十歳年をとり、ほかの人たちは十歳若いまま。それだけのことだ。この日は亡くなった人を静かに偲び、思いっきり泣いても良い日だと私は思う。

さらに福島県を考えると、原発事故はこの一年間何一つとして解決していない。アンダーコントロールなどされていない。だから十年目、十年目と大騒ぎすることに違和感と腹立たしさを覚える。

昨年の一月。福島県民なら一度は見ておかなければと、半ば脅迫観念のような思いを抱いて福島第一原発の見学に行った。同行したのは、友人の小野文恵アナウンサーと彼女の同級生の共同テレビのディレクター、キリンビールの広報担当者、そして夫だ。事前に見学の申し込みが必要だという。住所氏名はもちろんの事、生年月日や職業とさらに詳細な肩書までも必要だった。その時にはまだ避難解除されていなかった双葉町と、第一原発の二か所の見学申請を出したのに許可が下りたのは第一原発だけだった。案内してくれた新地高校の高村先生は、何度も見学申請を出したけれど双葉町の許可が下りなかったのは初めてだと驚いていた。許可が下りなかった理由は不明である。

最初に見学者全員が富岡町にある廃炉センターの一室に集められた。ここは東電の施設だ。広い部屋に入るとすぐに、三名の社員が出て来て

「事故を起こしてしまい皆様には多大なるご迷惑をおかけしました。申し訳ありませんでした。私たちは誠意をもって事故処理に励んでおります」

と深々と頭を下げた。「誠意をもって事故処理に当たっている」という言葉が、私には空々

しく聞こえた。福島県に住んでいる者は、みんな知っている。みんな思っている。事故処理に誠意をもっているとはとても思えないことを。

続いて東電がいかに懸命に事故処理に当たっているかという、まるでＰＲのような映像を見せられてから見学用のバスに乗った。普通の恰好で良いことにまず驚いた。以前テレビで見た防護服もマスクも必要がなかった。ただ見学中に浴びた放射線量がわかるようにポケットに計測計が入ったベストを着せられた。

バスの中にはその場所の線量が表示される大きな計測機械がついていた。一号機が近づくにつれて数字がどんどん上がっていく。デジタル数字は三十マイクロシーベルトと表示している。さらに数字が上がっていく。かすかに恐怖を感じ心臓が動悸を打ち始めた。爆発した一号機の前を通り、二号機の前を通り過ぎる。下から見上げる建屋は想像よりもずっと大きかった。二号機には覆いがかかっていた。そして爆発した三号機、ただ一つメルトダウンを免れた四号機とそれぞれの建屋の前を通り抜けた。最後は、四つの建屋がすべて見下ろせる丘の上でバスは停まり、全員がバスから降ろされた。

すぐ目の前に一号機が見える。距離は百メートルあるだろうか。建屋の周りは防護壁で覆われているが、屋上の瓦礫は爆発当時そのままに残っていた。瓦礫は、九年間放置されたままになっている。放置というのは正しくないかもしれない。処理しようとしているが、放射線量が高くて手が付けられないのだ。先日の新聞には、七京ベクレルあったという記事が載った。七京……。使ったことがない単位なだけにどのぐらい高い数値なのか想像すらできない。

二号機は、水素爆発こそしなかったものの、窓が吹き飛んでいる。あの日、二号機は建屋内の空気圧を下げるため、ベントという排気作業が行われた。ベントに使われた煙突は、九年経って劣化が進み崩れる恐れが出てきた。そこで煙突の半分を切り取り、万が一崩落した時に被害が少ないようにと作業中だった。その煙突も線量が高くて作業が遅々として進まない。遠隔操作のロボットを使っての作業だが上手くいかず苦闘している。

三号機は一番激しく水素爆発した。見学の時はまだ核燃料棒を取り出す作業が行われていなかったので、建屋の上に覆いのようなものがかぶせられていた。千五百本あった燃料棒の取り出しは八年かけて先月の末にやっと終了した。だが三号機が終了してもまだ二号機と一号機の燃料棒の取り出しが待っている。線量が高いので遠隔操縦のロボットを使うしかない。すべてが終了するまで三十年以上かかるという。気が遠くなるような話だ。

さらに、もっと厄介なのが「デブリ」と呼ばれる物の取り出しだ。格納容器内で溶け落ちた核燃料である。放射線量がとてつもなく高い。格納容器の上蓋でさえも三京ベクレルになるという。これは即死する数値だ。高濃度の放射能に邪魔されて、デブリ取り出しの見通しは立っていない。今の技術では手も足も出ないのだ。廃炉にするにはデブリを取り出した後、冷却などの作業を経て四十年以上かかるらしい。

その中で四号機は水素爆発したが、点検中で稼働していなかったことが幸いし、燃料棒の取り出し作業が真っ先に終了している。


丘の上から建屋を見下ろすと、真っ白な防護服で体中を覆った大勢の作業員が、せわしなく走り回っている。三千人から四千人の作業員が働いていると聞いた。想像以上の人数が働いていることに驚く。丘の下にいる作業員は白い防護服。丘の上の私たちは普通の恰好である。ここの線量はどのぐらいだろう。ちょっと不安になる。こうして建屋を見下ろしている間も、絶え間なく放射線が縦横無尽に飛び交っている。その放射線は私の体を通過して細胞を傷つけていると想像したら急に息苦しくなった。

「ここにいられるのは十分間だけです。九分過ぎました。もうバスに乗ってください」

案内員の声に、みんな無言で走るようにバスに戻った。バスの中のデジタル数字は三十六だった。三十六マイクロシーベルトか……。今の新地町の線量は〇・〇六マイクロシーベルトだ。つかの間の滞在とはいえ、これがとても高い数値であることは私でもわかる。息を止めても何の対策にもならないことは知っているが、なんとなく呼吸が抑え気味になるのが不思議だ。全員が乗るとバスはゆっくりとした速度で廃炉センターに向かって走った。急いで帰らなければならないほど被爆はしてないのだろう。ほっとして心臓の鼓動が少しゆっくりになる。

構内には、無数の巨大タンクが並んでいる。放射能で汚染された地下水や雨水などを貯めておくアルプスと呼ばれるタンクだ。その数はすでに一千基もある。一基の中に百十万トンの汚染水が保管されているという。汚染水には今の技術では取り除くことができないトリチウムという放射性物質が残っている。来年には構内がタンクで埋まり、保管場所がなくなる。

今、この汚染水の処理も大きな問題になっている。政府と東電は、トリチウム以外の放射性物質を取り除いた処理水を、海に放出したいらしい。海は広いから放出してもトリチウムの濃度は薄まるから安全だと主張する。けれども今、海に流したらどうなるだろうか。原発事故の風評被害からやっとここまで復興した福島県。また放射能汚染と騒がれることだろう。農作物はもちろん魚介類も売れなくなる。この十年間の農家や漁師の必死の努力が水の泡と消える。

福島県が海に処理水を放流するかどうかで揺れている時に、宮城県の女川原発の再稼働が決まったというニュースが流れた。宮城県の人たちは、女川の人たちは、福島第一原発の今の姿を知らないのか。十年経っても何も解決していない。一歩も前進していない。これから何十年も放射能に苦しめられる私たちのことを知らないのだろうか。とても悲しくなった。

文恵さんたちをいわき駅まで送った。国道六号線沿いの田んぼや畑に、真っ黒な大きな袋が無数に積まれている。フレコンバックと呼ばれる土嚢だ。汚染された土地の表土が入っている。住宅、公園、学校、田畑などの汚染表土を剥いでフレコンバックに詰めてある。夥しい数の黒い袋が沿道何十キロ、累々と山積みにされている。その異様な風景に車内は無口になった。汚染水だけでなくこの汚染土の始末も大きな問題なのだ。政府は、公共工事のコンクリートに混ぜて使うと言っている。果たしてそれでいいのか。安全と言えるのか。私にはわからない。ふと文恵さんを見ると、ほほに涙が流れていた。そっと手を握ると

「福島第一原発の電気は全部東京で使われていたのよね。福島県では一ワットも使っていなかった……それなのに……ごめんなさいね」

と言った。

「見学できてよかった。実際に現場を見て原稿を読むのと、見ないで読むのとでは伝わり方が違うと思うの。見学できてよかった。美保子さん、連れて来てくれてありがとう」

彼女もまた私の手を握り返した。

この世には人智をもってしても解決できないことがいっぱいある。自分たちは何でもできると奢り高ぶってはならない。自然災害や原子力など人間の力では制御不能なことがま

だまだたくさんあるのだ。

子孫に美しい地球を残したい。

残念ながら福島県は放射能に汚染されてしまった。未だに故郷に帰れない人が多くいる。必死に除染して元の美しい福島県に戻したいと頑張ってはいるが、その道は遥かに遠くとても険しい。今も解決策を手探りで探している状態で、暗闇の先に灯りさえ見えていない。

女川を始め原発保有地の人たちが、私たちのような体験をしないで済むように、原発事故で悲しむこと、苦しむことがないようにと切に願う。

［令和三年三月十日］

※ベクレル—放射能の量をあらわす単位
シーベルト—被ばく線量をあらわす単位

見上げれば青い空（あとがきに代えて）

文章教室に行こうと思った。子ども時代のことや亡き娘の思い出を書き残したい。インターネットで文章の書き方教室を探すと、たまたま仙台市のＮＨＫ文化センターが見つかる。ウキウキと教室に通った。講師の関ひろみ先生は、文筆業と編集業をしているという。思いつくまま脈絡なく書き飛ばした文章を、丁寧にみてくださる。言葉一つで文章の雰囲気が変わる。そう、そう！　私が書きたかったのはそれです！　ちょっと直してもらっただけで言いたいことがよく伝わる文章になる。とても嬉しい。

文章が書けるようになったら、書くことが楽しくなった。どんどん書いた。書いているうちに思いがけず自分の気持ちを知ることがある。「へぇ、私はそう思っていたのか」と考えの整理ができた。書き終わると落ち着く。まるで精神安定剤のようだ。書くにつれて次第に気持ちの交通整理ができ、さらに心の断捨離にもなった。

書きたいことが次々と出てくる。家事放棄をして、毎日パソコンに向かって書き続けた。作家になった気分だ。書いたものを推敲すると、とても良い文章になった気になる。先生に褒められるかな。文章教室に通うのが楽しみになっていった。

最初は「自分史」をまとめようと思って文章教室に参加した。娘のこと、自分のこと、家族のこと。だが書き進むにつれて、書く内容がそれではない気がしてきた。

「私には、書き残さなければならないことがある」。その想いが日に日に膨らむ。書くべきもの。それは東日本大震災の被災体験だ。当事者でなければわからないことを書かなければ。あの時、見たこと、聞いたこと、感じたことを書きたいという気持ちが、ますます大きくなる。自分のことだから私にしか書けないはずだ。書かなければ。書き残さなければ。

よし！　書こう！

書くと決めたが、最初の一歩を踏み出すまでには決心がいった。震災体験は、辛いことや悲しいことが多すぎるのだ。ずいぶん復興してきているのに、今更あの時のことを書く必要があるのだろうか。たとえ書いたとしても、辛い話など誰も読みたくないだろう。躊躇する気持ちが頭を持ち上げる。でも書かなきゃ。書かなきゃ。自分の体験を書かなきゃ。

文章があまり暗くならないように気をつける。ただし、嘘や誇張は書かない。ありのままに、自分の気持ちに正直に素直に書く。そう決めてパソコンに向かった。

最初に「避難所で」という題で書いた。書いてみたら思っていたよりも辛くなかった。その原稿が呼び水になって、次々とあの日からの出来事が思い出され、筆が止まらない。時には、気が付くと夜が明けていた。時間が経つのも忘れるほど書き続ける。

文章が出来上がるたびに、一編ずつ文章教室に持って行った。先生は、とても丁寧に読んでくださった。自分では気付かない書き癖があると指摘された。文章には構成も必要だと教えてもらった。一緒に勉強している仲間の感想も参考になった。

「先生の感想はどうかしら? 今日はほめてくれるかなぁ」

原稿を抱えて月に二回、ワクワクと仙台に通った。その日はとても楽しみで、前の夜は眠れないほどだ。電車の都合ということもあるけれど、大抵は教室に一番乗り。机に座ってドキドキしながら授業が始まるのを待った。

四十編書けたら本にしよう。最初からそう決めていた。その四十篇をやっと書き終えた。被災体験など書いて何になるかと始めは迷った。はたして、本当の私の気持ちが誤解されずに読む人に届くだろうかと、不安にもなった。迷いながら、躊躇しながら、それでも書いてよかったと今はしみじみと思う。十一年の間に忘れていたこともある。忘れたいと思っていたこともある。

本の装丁は、岩泉小学校の同級生で盛岡市在住のグラフィックデザイナー山崎文子さんに頼もう。彼女ならきっと素敵な表紙をデザインしてくれる。出版社は山崎さんから、岩手県大船渡市のイー・ピックス出版を紹介してもらった。津波で印刷所を流されても復活を果たした会社である。加筆した文章は、佐藤晶子さんが添削してくれた。そのおかげで、自分が想像していた以上に想いがこもった本に仕上がった。

この本は今まで私を応援してくれた人たちに読んでほしい。あの人にも、あの人にも感謝の気持ちで届けたい。「ここまでこられたのは、あなたのおかげです」と、お礼の気持ちを本にいっぱい詰め込んで送るつもりだ。一人一人の笑顔が目に浮かぶ。この本を読んで、万が一被災した時に、何かの参考にしていただけたらありがたい。命さえあれば、後は何とかなる。そう伝えたい。
書き終えてすべてを読み返してみると、震災後にずいぶん多くの方と出会ったことに驚く。いろいろな人に支えてもらったおかげでここまで来ることができた。紙面の都合で書ききれなかった人も大勢いる。なんとありがたい事だろう。「出会いが運命を生むのではなく、出会いをやり過ごさない誠実さが運命を生む」という言葉を知った。やり過ごさない誠実さ。私は、一人一人に、あるいは一つ一つの出来ごとを、やり過ごさずに誠実に向き合えただろうか？「はい」と即答ができない。忙しさに逃げておろそかにしてしまったご縁もきっとある。残りの人生はもっと誠実に、真摯に人や物事と向き合って生きて行きたいと改めて決心する。

あの時独身だった息子に伴侶が出来て、三年が過ぎた。難病で寝たきりのお母さんを看護している。そんな優しい彼女の力になりたいと、彼は家を出て向こうの家族と一緒に住んでいる。息子が家を出たので、結婚して四十七年目ではじめて夫婦二人きりの生活が始まった。長年、夫の両親や子どもたちと一緒だった。おまけに宿泊客もいた。自営業だったので一日の大半を一緒に生活した。夫婦で過ごした時間は、サラリーマンのご夫婦に比べたなら二倍以上になるだろう。改めてずいぶん長い時間一緒に暮らしたことに驚き、そして呆れもする。

二人きりになったら時間を持て余すのではないかと心配したがそんなこともなく、何となく毎日無事に暮らしている。居ても気にならない。けれど、居ないと気になる。五十年という歳月は、我々をそんな夫婦に育てた。それもまた良し。このままずっと、穏やかに暮らしていけたならと願っている。

外に出て空を見上げる。あいにく今日は曇天だ。だが私は知っている。この雲の上には青空が広がっていることを。今は雲に遮られて見えないけれど、確かに青空が存在する。雲に覆われていても、たとえ土砂降りの雨だとしても、その上には青空がある。昼には太陽が燦燦と照っている。夜になれば満天の星が光り輝く。だから私は、楽しい時も、悲しい時も、苦しい時も、いつも青い空を見上げる。

［令和四年九月吉日］

見上げれば青い空

2023年8月1日　初版発行

著者　村上美保子
カバーデザイン　山崎文子
発行者　熊谷雅也
発行所　イー・ピックス
〒022-0002
岩手県大船渡市大船渡町字山馬越44-1
TEL 0192-26-3334　FAX 0192-26-3344
https://epix.co.jp contact@epix.co.jp
本文デザイン・装幀協力　Malpu Design（佐野佳子・清水良洋）
印刷　㈱平河工業社

ISBN978-4-901602-80-8 C0036 ¥1800E